Canada:
Les Débuts
héroïques

D1501278

Canada: Les Débuts héroïques

DONALD CREIGHTON

Edité par les Editions Quinze conjointement avec Parcs Canada
et le Centre d'édition du gouvernement du Canada,
Approvisionnements et Services Canada.

À Luella
En souvenir de
notre voyage dans
les Maritimes,
septembre 1971.

Pour la traduction française:

© Éditions Quinze

3465, Côte-des-Neiges, suite 50, Montréal, Québec H3H 1T7

Dépôt légal: 2e trimestre 1979, Bibliothèque nationale du Québec
ISBN 2-89026-000-3

EC – 2841 –79

Avant-propos

Il y a diverses manières de présenter l'histoire du Canada: il y a celle, entre autres, de la faire connaître en alignant bout à bout les documents qui l'illustrent de la façon la plus significative, quitte à les relier les uns aux autres par les commentaires appropriés. C'est l'histoire du Canada par les textes. Il y a aussi cette autre méthode, celle que pratique l'auteur de ce livre: elle consiste d'abord à montrer par la photographie tel lieu ou tel monument qui rappelle un événement marquant de notre histoire, puis, partant de cette illustration, à raconter l'événement lui-même. C'est, en ce cas, l'histoire du Canada par ses lieux et monuments historiques.

Notre guide, en l'occurrence, est l'historien Donald Creighton, ancien professeur de l'Université de Toronto. Rappelons au touriste distrait que l'oeuvre historique de M. Creighton est largement connu au Canada et à l'étranger et que ses livres lui ont acquis un haut prestige pour leur érudition, pour la force de la pensée et pour la magie du style: *Dominion of the North, John A. Macdonald* (en deux volumes), *The Empire of the St Lawrence, The Road to Confederation.* Certes, comme plusieurs de ses collègues anglophones, l'historien Creighton ne trouve pas toujours chez les lecteurs francophones un auditoire enthousiaste: certains lui reprochent d'entretenir une conception trop élevée de la supériorité britannique; selon d'autres, il apporte sur le comportement des Canadiens français des explications qui ne plaisent pas; d'autres encore regrettent qu'il ne mette pas suffisamment en évidence certains faits qui feraient la fierté de leur ethnie. Mais quel est l'historien, même chez les Canadiens français, qui ne s'est jamais trouvé en pleine ligne de tir pour avoir eu le courage de ses opinions? Je ne connais pas encore d'historien, ni anglophone ni francophone, qui ait fait l'unanimité autour de son oeuvre. Et quel est l'historien, anglophone ou francophone, qui ne s'est pas vu reprocher d'avoir mal compris le comportement de l'autre groupe ethnique? Que vienne l'historien qui se juge digne de lancer la première pierre! L'historien le plus chevronné demeure un homme, que conditionnent son milieu, son éducation, sa mentalité. On attend de lui, outre l'érudition, qu'il soit homme sincère et qu'il soit honnête envers lui-même. L'historien Creighton possède manifestement ces qualités.

Il a, de plus, le mérite d'avoir lui-même parcouru ce périple dont les lieux et monuments marquent ici les étapes. Longtemps membre de la Commission fédérale des Lieux et Monuments historiques, il a eu le loisir (et je sais par expérience le sérieux qu'il a mis dans son étude) de visiter chacune de ces étapes, de Terre-Neuve à l'île Vancouver, de la frontière sud jusqu'à Dawson, au Yukon. À titre de conseiller de cette Commission, il a, avec ses collègues, recommandé le sauvetage de bien des pièces importantes de notre patrimoine historique, dont (pour ne rappeler que les théâtres de l'histoire française) les hauts lieux de l'histoire acadienne (par exemple, Louisbourg, le fort Beauséjour, Plaisance) ou ceux de l'histoire de Québec, comme la citadelle, le vieux Séminaire, le monastère des Ursulines. La liste des préoccupations du professeur Creighton à l'égard du patrimoine canadien-français se confond, du reste, avec celle de toute la Commission pendant nombre d'années.

Parce que les lieux et monuments historiques sont épars dans le pays, il est évident que nous n'aurons pas ici une histoire en ligne droite, selon un ordre chronologique rigoureux, qui finirait d'ailleurs par devenir ennuyeux. Il vaut mieux, à tout prendre, aller ici, aller là, en touriste que rien ne presse trop, s'attarder ou se hâter selon l'intérêt des événements à rappeler. Il y a un ordre quand même: le guide Creighton sait profiter d'un ordre tantôt géographique, tantôt thématique. Au total, celui qui suivra le guide aura visité les sommets ou se sera fait rappeler les grands problèmes de l'histoire du Canada.

D'abord, après le peuplement préhistorique, voici les premiers Européens et la fondation des premiers établissements sur la côte atlantique: les Vikings à Terre-Neuve (en l'Anse aux Meadows); les pêcheurs anglais et français; avec Cartier, l'exploration du Saint-

Laurent et la première opération (connue) de la traite; l'Acadie, avec Du Gua de Monts en l'île Sainte-Croix et à Port-Royal, suivi du drame qui se joue entre Menou d'Aulnay et Saint-Étienne de La Tour. Les lieux et monuments historiques rappellent aussi le long conflit anglo-français, conflit qui débute au XVIIe siècle et qui ne prend fin qu'avec la guerre de Sept Ans: conflit rappelé par d'illustres points de repère, comme Louisbourg et plusieurs de ces forts qui servaient au réseau défensif sur le Golfe.

La guerre n'a pas été le lot du seul Régime français. Le schisme qui divise les Britanniques en Amérique après 1763 nécessite la défense des frontières: c'est le cas au cours de la guerre de l'Indépendance américaine, c'est encore le cas en 1812 (seconde guerre d'Indépendance); et jusqu'au XIXe siècle, il faut bâtir ou renforcer des forts qui bientôt ne deviennent plus que des... lieux historiques. Défense aussi des côtes: côte atlantique et côte du Pacifique.

L'histoire du Canada, heureusement, n'est pas faite que de guerre, elle est aussi exploration et colonisation, ce que les lieux et monuments historiques nous rappellent visuellement. Par eux, on suit les routes de la traite en direction du Nord-Ouest, la pénétration du continent par la Compagnie de la baie d'Hudson et par sa dynamique rivale de Montréal, la Compagnie du Nord-Ouest, l'une et l'autre s'appliquant à atteindre le Pacifique et étendant un réseau d'un océan à l'autre, des Grands Lacs à la mer polaire. La colonisation, autre chapitre mouvementé de notre histoire, avec ses étapes marquées de monuments. Colonisation de la Rivière-Rouge, cette première poussée des Blancs au-delà des Grands Lacs; colonisation des Prairies et de la Colombie britannique. Toutes régions où s'illustre la Gendarmerie royale, chargée de faire respecter l'ordre et la liberté dans des pays neufs. Cette colonisation récente a laissé, elle aussi, ses monuments qui en racontent les phases heureuses ou, comme dans le cas des Métis, malheureuses.

À mesure que se met en place le vaste ensemble du Canada, il faut en relier les diverses parties; travail de liaison dont on a voulu conserver avec respect les premiers éléments: le canal Rideau qui joint l'Outaouais et le lac Ontario, le canal Welland entre ce dernier et le lac Érié, le phare du cap Spear, le laboratoire télégraphique de Graham Bell; et bien d'autres éléments qui servent aujourd'hui de rappels historiques.

Pour compléter ce vaste ensemble, il a fallu attendre, à la fin du XIXe siècle et au début du XXe, la «Conquête du Nord». Non plus celle-là par les armes. C'est d'abord l'invasion massive du Yukon pour y recueillir l'or de la rivière Klondike et de ses affluents, invasion qui amène de toutes pièces la création d'une ville de 40 000 âmes, Dawson; la crise de l'or s'est résorbée et il en est resté une ville fantôme que la Commission fédérale des Lieux et Monuments historiques a voulu conserver dans son état primitif, comme un document intégral de la grande ruée vers la Klondike. Conquête du Nord par navigation aérienne ou maritime, dont le plus émouvant témoin qu'on ait conservé est, à Vancouver, ce petit navire, le *Saint-Roch*, le premier à réaliser enfin le rêve du XVIe siècle, celui de passer d'un océan à l'autre en suivant la route du Nord-Ouest.

Enfin, comme les demeures des anciens Premiers ministres du Canada sont consacrées monuments historiques, ce livre nous les fait connaître et, par elles, nous pénétrons dans le milieu où ont vécu des hommes d'État de grande envergure: John A. Macdonald, George-Étienne Cartier, William H. Pope, Alexander Mackenzie, Wilfrid Laurier, William Lyon Mackenzie King.

Cette promenade historique, conduite par l'historien Creighton, nous fait songer, sous bien des aspects, à celle que conduisait Hérodote parmi les monuments de l'Égypte ou à celle de Pausanias à travers la Grèce, car les historiens, quoi qu'on pense, ne s'en tiennent pas aux seuls documents écrits. Comme les livres d'Hérodote et de Pausanias, celui de M. Creighton est-il promis à un brillant avenir? Il sera, en tout cas, un outil de bien agréable compagnie pour qui voudra, en pèlerin, revoir les hauts lieux de l'histoire du Canada.

Marcel Trudel, D. ès L., O.C.
titulaire de recherche à
l'Université d'Ottawa

Préface

LE CARACTÈRE assez inhabituel de cet ouvrage historique nécessite quelques mots d'explication. Comme l'indique son titre, il ne décrit pas un seul point de départ, mais plusieurs.

Le Canada a été peuplé à l'époque préhistorique par des nomades asiatiques et, à l'époque historique, par des émigrants européens; l'occupation de ce vaste territoire s'est naturellement poursuivie fort longtemps. Les colons venus d'Europe ont d'abord débarqué sur la côte atlantique et les basses terres du Saint-Laurent, puis sur le littoral du Pacifique. Les plaines centrales n'ont été peuplées que plus tard et bien des années s'écoulent encore avant l'exploration du Grand Nord. Plus de deux siècles séparent la fondation de Port-Royal en Nouvelle-Écosse et l'établissement de la colonie de la Compagnie de la baie d'Hudson à Victoria sur l'île Vancouver. De nombreuses générations se sont succédé entre la construction de la forteresse de Louisbourg et la marche vers l'Ouest de la Gendarmerie à cheval du Nord-Ouest. Bref, Jacques Cartier, l'explorateur qui s'aventure sur la «rivière de Canada», et John A. Macdonald, l'architecte de l'union fédérale, appartiennent à deux mondes totalement distincts.

Il est certain que les contrastes d'un siècle à l'autre sont très marqués. Néanmoins, malgré leur étalement chronologique, les divers points de départ de notre histoire présentent des traits communs qui nous permettent de mieux juger et de mieux comprendre. Ils s'inspirent du même souffle héroïque, fait d'esprit d'initiative, de persévérance, de ténacité et de courage. En outre, ils illustrent tous les grands thèmes de notre histoire. Un thème est une idée qui regroupe des événements historiques distincts dans leur déroulement, mais semblables dans leur essence; en l'analysant, nous pouvons donc approfondir le sens général de notre histoire. L'occupation du littoral atlantique, les hostilités anglo-françaises, la marche vers le Pacifique, la colonisation de l'Ouest, la défense des côtes et des frontières, l'exploration du Grand Nord, voilà les grands thèmes de l'histoire du Canada.

Il ne manque certes pas de livres et de manuscrits qui relatent les exploits en terre canadienne, mais on ne saurait faire abstraction du témoignage qu'offrent les endroits mêmes où ils se sont déroulés. Les lieux et les parcs historiques du Canada illustrent d'une manière unique beaucoup de grands thèmes de notre histoire; cependant, il faut se garder de les considérer isolément, dissociés de la chaîne des événements, car ils perdent alors leur véritable signification. Ce modeste livre s'attache donc à relier les lieux et les bâtiments historiques aux thèmes qu'ils symbolisent afin de faire naître de ce rapprochement une meilleure compréhension des uns et des autres. Ses pages portent l'empreinte de cette recherche, de lieux soigneusement inventoriés et entretenus, de vieux bâtiments conservés ou reconstruits. Aujourd'hui, les Canadiens ont la chance de pouvoir retrouver des maillons variés et abondants de leur passé, si bien que bon nombre des grands thèmes de l'histoire de leur pays deviennent des réalités concrètes.

Je tiens à exprimer mes remerciements à MM. Peter H. Bennett, directeur adjoint (Lieux historiques), et Maxwell Sutherland, du Service des lieux historiques, ainsi qu'aux responsables régionaux et locaux de la Direction des parcs historiques et nationaux. Guidé par ces spécialistes et éclairé par eux, j'ai visité presque tous les lieux décrits dans ce livre.

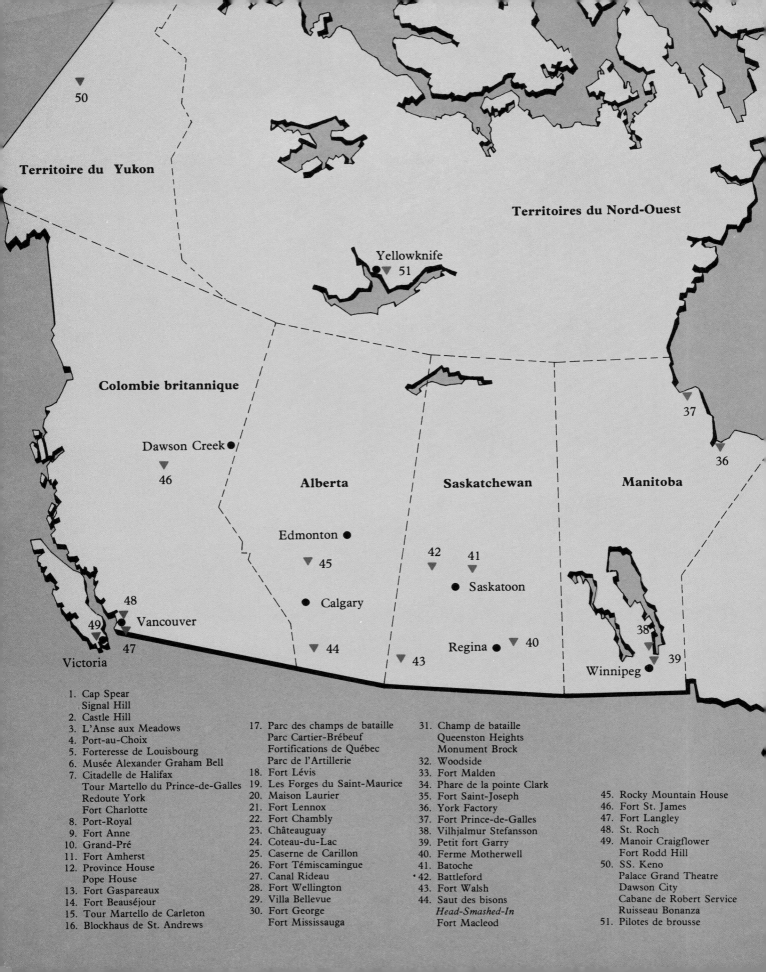

Territoire du Yukon

Territoires du Nord-Ouest

Yellowknife

Colombie britannique

Dawson Creek

Alberta

Saskatchewan

Manitoba

Edmonton

Saskatoon

Calgary

Regina

Vancouver

Winnipeg

Victoria

1. Cap Spear
   Signal Hill
2. Castle Hill
3. L'Anse aux Meadows
4. Port-au-Choix
5. Forteresse de Louisbourg
6. Musée Alexander Graham Bell
7. Citadelle de Halifax
   Tour Martello du Prince-de-Galles
   Redoute York
   Fort Charlotte
8. Port-Royal
9. Fort Anne
10. Grand-Pré
11. Fort Amherst
12. Province House
    Pope House
13. Fort Gaspareaux
14. Fort Beauséjour
15. Tour Martello de Carleton
16. Blockhaus de St. Andrews

17. Parc des champs de bataille
    Parc Cartier-Brébeuf
    Fortifications de Québec
    Parc de l'Artillerie
18. Fort Lévis
19. Les Forges du Saint-Maurice
20. Maison Laurier
21. Fort Lennox
22. Fort Chambly
23. Châteauguay
24. Coteau-du-Lac
25. Caserne de Carillon
26. Fort Témiscamingue
27. Canal Rideau
28. Fort Wellington
29. Villa Bellevue
30. Fort George
    Fort Mississauga

31. Champ de bataille
    Queenston Heights
    Monument Brock
32. Woodside
33. Fort Malden
34. Phare de la pointe Clark
35. Fort Saint-Joseph
36. York Factory
37. Fort Prince-de-Galles
38. Vilhjalmur Stefansson
39. Petit fort Garry
40. Ferme Motherwell
41. Batoche
42. Battleford
43. Fort Walsh
44. Saut des bisons
    Head-Smashed-In
    Fort Macleod

45. Rocky Mountain House
46. Fort St. James
47. Fort Langley
48. St. Roch
49. Manoir Craigflower
    Fort Rodd Hill
50. SS. Keno
    Palace Grand Theatre
    Dawson City
    Cabane de Robert Service
    Ruisseau Bonanza
51. Pilotes de brousse

Prologue
Les premiers
Canadiens

Terre-Neuve

St. John's

Québec

Ontario

Île du
Prince-
Édouard

Nouveau-
Brunswick

Fredericton
Saint John

Halifax

Nouvelle-
Écosse

Québec

Montréal

Ottawa

Kingston

Toronto

Windsor

L'HOMME n'a pas toujours habité l'Amérique du Nord. Le Nouveau Monde a été peuplé de l'extérieur. A l'époque historique, les colons sont venus par bateau d'Europe occidentale, mais durant la préhistoire, les premiers habitants ont traversé le pont continental qui reliait alors l'est de la Sibérie à l'Alaska, là où se trouve maintenant le détroit de Béring. C'est au cours de la dernière période glaciaire, malgré les difficultés effroyables que devait présenter le Grand Nord, que les premiers Nord-Américains entreprennent leur voyage périlleux dans un continent vierge. La période de la glaciation la plus poussée se situe vraisemblablement entre 18 000 et 11 000 av. J.-C. Une immense nappe de glace laurentienne s'étend sur tout le centre et l'est du Canada, tandis que les glaciers de la Cordillère recouvrent le littoral du Pacifique et les Rocheuses. Il est possible que ces deux immenses champs de glace se soient rejoints de façon à interdire, pendant des siècles, tout accès par le nord, ou qu'ils aient été toujours séparés par un étroit couloir. Les premiers colons sont peut-être arrivés en Amérique du Nord avant la grande poussée des glaces ou après leur premier retrait. Il se peut également qu'ils aient suivi, durant cette période, un chemin difficile et dangereux plus au sud.

Ces premiers arrivants vivent de manière précaire de la chasse des grands ruminants. Peuplade de chasseurs, ils ont suivi la piste des troupeaux de bisons, de mammouths, de caribous et de cerfs qui ont quitté le sud-est de l'Asie pour franchir le pont de Béring à la recherche de nouveaux pâturages. Petit à petit, le passage étroit entre les champs de glace fait place à la vaste toundra et aux immenses prairies où les bêtes trouvent facilement à paître. La survie de l'homme primitif en Amérique du Nord dépend entièrement de ces animaux; il se nourrit de leur chair et utilise leur peau pour se fabriquer des vêtements et des abris rudimentaires. N'ayant d'autres moyens de subsistance que la chasse, il acquiert une profonde connaissance du caractère et de la vie des bêtes ainsi que de leurs habitudes saisonnières et migratoires. Ces premiers Américains se déplacent en petites bandes pour plus d'efficacité et de sécurité. Leurs lances et leurs javelots sont armés de pointes de pierre et d'éclats d'os. Ils vivent dans des huttes hémisphériques recouvertes de peaux, au centre desquelles brûle l'âtre.

Le lent mouvement migratoire des nomades asiatiques qui ont traversé le pont continental de Béring pendant des milliers d'années se poursuit peu à peu vers le sud. Par petits groupes dispersés, ils occupent toute la partie du Nouveau Monde au sud des grands glaciers; puis, à mesure que la nappe de glace recule lentement vers l'Arctique, ils reviennent dans les territoires du Centre et du Nord. Ce déplacement de population se poursuit sans doute fort longtemps, mais il semble que la première longue vague des peuples asiatiques en territoire américain cesse soudainement au cours de la lointaine préhistoire. La seconde migration, qui débute probablement après une interruption de plusieurs millénaires, se différencie très clairement de la première. Les descendants des premiers arrivants sont devenus les Indiens du Canada et occupent les côtes du Pacifique et de l'Atlantique, les basses terres du Saint-Laurent, le bouclier précambrien, les grandes plaines et la forêt boréale. Cependant, ils s'aventurent rarement au-delà de la limite de la végétation arborescente. Au nord de cette frontière s'étend l'immense toundra et, plus loin encore, se trouvent les eaux arctiques. C'est là que les Esquimaux, issus d'une seconde vague de migration asiatique moins importante, vont se créer un mode de vie très particulier.

Le contraste entre Indiens et Esquimaux constitue le fait ethnique dominant de la préhistoire canadienne, mais on voit également apparaître des différences très nettes, quoique moins prononcées, entre les Indiens de la région centrale et ceux de la région méridionale. Cela est dû aux variations du milieu, du climat, de la végétation et de la nourriture dans chaque région. À mesure que les sociétés aborigènes se développent et que leur culture s'affine, des différenciations apparaissent. Il existe une distinction fondamentale entre les Amérindiens de l'Est et du Nord et ceux du Sud et de l'Ouest. À Terre-Neuve, au Labrador, dans le bouclier précambrien, dans les bassins des fleuves Mackenzie et Yukon et presque partout dans les plaines, les habitants sont des chasseurs nomades qui, péniblement, recherchent sans cesse leur nourriture. En revanche, dans le Haut-Saint-Laurent et le sud de l'Alberta, ainsi que sur la côte de la

CI-DESSUS: *Les Nootkas accueillent les navires du capitaine Cook dans le détroit de Nootka, en 1778. C'est le début d'une longue relation entre les Blancs et une société que n'avait pas encore touchée la civilisation européenne.*
CI-DESSOUS: *Portrait d'époque de Cook.*

Colombie britannique, la population, plus dense et sédentaire, connaît une existence moins dure et moins précaire. Les ancêtres de ceux qui deviendront les Micmacs, les Naspakis, les Montagnais, les Chippewas et les Assiniboines portent des vêtements de peau, habitent des wigwams démontables, pratiquent la pêche et se déplacent pour traquer le gros gibier sensiblement comme leurs ancêtres arrivés d'Asie le faisaient des millénaires auparavant. Quant aux ancêtres des tribus iroquoises du sud de l'Ontario, et aux Nootkas, aux Salish côtiers et aux Bella Coola de la côte du Pacifique, ils bénéficient d'un climat plus tempéré, d'un sol et d'une végétation riches ainsi que de sources de nourriture stables et variées. Ils maîtrisent un grand nombre de techniques artisanales, construisent des habitations spacieuses et durables et établissent des régimes sociaux et politiques complexes.

Samuel de Champlain, un des tout premiers Européens à se rendre chez les Hurons de la baie Georgienne, voit leurs villages entourés de palissades, leurs «cabanes longues» et leurs champs de maïs, de haricots et de courges. C'est la tribu la

CI-DESSUS: *Le village nootka à Yuquot au moment de la venue de Cook. Les maisons étaient à charpente de bois permanente, mais les Indiens retiraient les planches chaque année avant de regagner leurs quartiers d'hiver.*
CI-DESSOUS: *Fumage du poisson à l'intérieur d'une habitation.*

plus évoluée de l'est du Canada, la «noblesse» indienne selon l'expression des Français; sa culture est connue en Europe dès le début du XVIIe siècle. Il faut attendre cent cinquante ans avant qu'un autre navigateur célèbre, le capitaine anglais James Cook, révèle l'existence d'une société amérindienne encore plus avancée sur la côte ouest de l'île Vancouver.

L E CAPITAINE COOK et ses hommes sont les premiers Européens à observer et à relater en détail la vie des Nootkas Moachats du village de Yuquot; toutefois, c'est un autre Européen, l'Espagnol Juan Josef Perez Hernandez, qui découvre le détroit de Nootka et rencontre les Indiens de la côte ouest de l'île Vancouver pour la première fois. Des rumeurs au sujet de l'établissement des Russes en Alaska avaient poussé les autorités espagnoles à envoyer Perez revendiquer toute la côte ouest de l'Amérique du Nord. C'est au retour de son voyage, en 1774, qu'il découvre l'entrée du détroit. Il ne débarque pas, mais s'arrête juste assez longtemps pour recevoir les Indiens qui viennent en canot échanger des cadeaux; une tempête inopinée, caractéristique de la région, met fin à cette brève rencontre et pousse Perez de nouveau vers le sud.

Quatre ans plus tard, en mars 1778, le capitaine James Cook, qui commande les deux célèbres vaisseaux de guerre *Resolution* et *Discovery*, pénètre dans le détroit de Nootka. Ce troisième et dernier voyage de Cook est une longue suite de déceptions et se termine dans le malheur. Comme de nombreux autres navigateurs britanniques avant et après lui, Cook a pour mission de découvrir le passage du Nord-Ouest qui permettra de contourner l'Amérique du Nord. Il explore en vain le détroit du Prince-de-Galles et le bras de mer Cook; il s'avance plus au nord à travers les îles Aléoutiennes mais trouve le passage bloqué par une banquise. Il a beau avoir tracé la carte de la côte nord-ouest de l'Amérique du Nord, il ne peut atteindre son principal objectif. Revenant alors

vers le sud, aux îles Sandwich, il trouve la mort sur une plage d'Hawaï.

Cette aventure décevante et tragique est encore loin lorsque, en mars 1778, le *Resolution* et le *Discovery* remontent lentement le détroit de Nootka. C'est un des nombreux fiords ou bras de mer profonds qui échancrent la côte ouest de l'île Vancouver, créé par le chenal étroit qui sépare la grande île Nootka du continent. À l'extrémité sud-est de l'île se trouve une petite anse, protégée des vents par la péninsule et les îles voisines qui s'incurvent en direction sud-est. C'est dans ce havre naturel que Cook et son équipage découvrent un spectacle étonnant. Sur le côté ouest de l'anse, dans la pente derrière la plage, se dressent plusieurs rangées de grandes maisons rectangulaires aux toits bas en terrasses et aux murs faits de longues planches horizontales. Les plus grandes habitations sont placées bien en évidence dans la première rangée et mesurent jusqu'à 150 pieds de longueur sur 30 pieds de largeur. Cette vaste surface est sectionnée en un grand nombre de logements familiaux, disposés face à face en deux rangées. Cook décrit ces maisons comme une longue écurie à deux rangées de stalles, séparées par un large passage. C'est Yuquot, le «village au vent», où les Nootkas Moachats reviennent tôt chaque printemps pour passer l'été. En septembre, ils se retirent dans l'intérieur où ils pêchent le saumon et attendent la fin de l'hiver. Pour s'abriter dans leurs habitations d'hiver, ils emportent avec eux les planches de leurs maisons d'été. Les seuls éléments permanents des maisons de Yuquot sont les poutres de la charpente.

Nul doute que la construction de ces grandes maisons exige énormément de dextérité et de persévérance. Les Nootkas utilisent comme matériau le bois des cèdres immenses de la côte ouest. Leurs haches, leurs doloires et leurs ciseaux sont faits de pierre ou de coquillages, et les coins sont taillés dans les arbres ou les bois des cervidés. Que de longues journées de labeur il faut pour abattre les arbres immenses, façonner les poutres, puis fendre et corroyer les planches. Ces grandes habitations, érigées au prix de tant d'efforts dans le petit port de Yuquot, sont sans doute la preuve la plus spectaculaire de la qualité du travail des Nootkas; mais ils manifestent leur goût et leurs talents de bien d'autres manières. Comme tous les Indiens, ils s'enveloppent de peaux d'animaux pour se protéger du froid; cependant, ils possèdent également des vêtements et des couvertures tissés avec un mélange de laine de chèvre de montagne et de fil d'écorce de cèdre. Leurs ouvrages de vannerie sont particulièrement délicats et leurs sculptures et leurs décorations dans les troncs de cèdre témoignent d'une grande adresse. À la différence des tribus iroquoises de l'Est qui observent une démocratie égalitaire stricte, la société nootka est organisée de façon complexe. Elle compte des nobles, des gens du commun et une forte proportion d'esclaves; elle a aussi une solide tradition d'ostentation et de festin.

P ASSER de cette culture assez raffinée sur la côte du Pacifique à la simplicité primitive des moeurs dans les Prairies, c'est reculer de plusieurs millénaires dans la préhistoire. Le milieu dans lequel les premiers habitants des plaines doivent lutter pour survivre est terriblement hostile. Ces prairies s'étendent à perte de vue, balayées par les vents et soumises à des extrêmes de température, hiver comme été; elles imposent aux premiers habitants une lutte constante et terrible pour simplement survivre. Comme les Amérindiens du Nord et de l'Est, les premiers occupants des Prairies sont, au départ, des chasseurs de gros gibier de toutes sortes, mais ils en viennent à dépendre surtout du bison pour leur alimentation et leur habillement. Leurs abris sont des *tipis* dont la charpente conique, recouverte de peaux de bison, est ancrée au sol par un cercle de pierres. L'évolution de leur culture se manifeste moins dans quelques ornements fabriqués de dents d'élan et de poils de porc-épic que dans l'amélioration progressive des armes et des méthodes de chasse. Longtemps, les javelots et les lances armés de pointes en pierre ou en os sont leurs seules armes. La découverte de l'arc et de la flèche, qui leur assurent une plus grande sécurité et une attaque plus puissante, marque un grand pas en avant; elle s'accompagne

Fort espagnol dominant le détroit de Nootka, vers 1790.

d'une nouvelle technique de chasse tout aussi importante, le rabattage vers les falaises ou le «saut des bisons».

Jusque-là, il est rare de rapporter de la chasse plusieurs animaux à la fois. Avec le rabattage, il devient possible d'en tuer un grand nombre d'un seul coup. Alors que la fuite imprévue d'un troupeau de bisons pouvait signifier autrefois l'échec et la faim pour les chasseurs, le nouveau stratagème, qui consiste à guider cette fuite, produit des résultats spectaculaires et une surabondance de nourriture pour tous. Les bêtes affolées sont dirigées entre deux lignes d'hommes et d'obstacles vers une falaise abrupte où elles se précipitent. Au pied de la falaise, d'autres chasseurs achèvent les

Le commerce lucratif de la fourrure de loutre de mer a attiré des hommes de toutes nationalités dans cette région.

animaux blessés, les écorchent et découpent des morceaux de viande pour tout le groupe. Les monceaux de cadavres au fond du précipice peuvent maintenant nourrir des campements plus gros que tous ceux qui ont jamais existé. Cependant, de tels rassemblements ne peuvent évidemment naître qu'aux rares endroits où se trouvent des falaises ou des pentes très escarpées. Un de ces lieux privilégiés, connu sous le nom évocateur de *Head-Smashed-In*, est à peu de distance de l'emplacement de l'actuel fort Macleod dans le sud de l'Alberta. La falaise de roches calcaires se termine abruptement par une chute verticale de soixante pieds et l'on trouve, au fond, des os de bison entassés sur plus de 30 pieds de profondeur, ce qui

témoigne bien de l'ampleur et de la fréquence de ces festins anciens.

À cet amas d'ossements, il faut ajouter l'immense tas de débris culinaires dans l'île Nootka, qui renferme toute une variété de coquillages, d'os de poissons et d'oiseaux aquatiques, de fragments de squelettes de mammifères marins et terrestres, de harpons, de javelines et d'autres armes ou outils; ce sont là les rares vestiges de la vie de ces premiers Canadiens si mal connus. Contrairement aux Aztèques et aux Incas de l'Amérique Centrale et de l'Amérique du Sud, les peuplades septentrionales n'ont laissé derrière elles ni temple, ni muraille, ni route ni d'autres ouvrages en pierre ou en brique qui puissent les immortaliser. Leurs tipis

La hauteur de ce saut de bisons en Alberta est tronquée par les débris qui se sont accumulés au cours des siècles.

PAGE PRÉCÉDENTE: *Illustration dramatique de la chasse au bison, qui montre l'usage efficace que faisaient les Indiens d'une des innovations introduites par les Européens, le cheval.*

cu wigwams fragiles en peau ou en écorce ont rapidement disparu, et même les solides maisons de bois des Nootkas n'ont pu résister au climat humide et changeant de la côte du Pacifique. Le legs de ces premiers Canadiens se résume à des déchets de campements et à quelques cimetières préhistoriques, peut-être plus rares encore. Dans ces temps anciens, la crémation était assez courante, surtout sur la côte du Pacifique, mais les Indiens qui ne l'adoptaient pas ne choisissaient pas invariablement la sépulture. Des tribus aussi éloignées les unes des autres que les Naskapis du Labrador et les Nootkas de la Colombie britannique déposaient leurs morts sur des catafalques dressés dans les arbres. C'est pourquoi la rareté des lieux de sépulture anciens ne fait qu'accroître l'importance et l'intérêt du cimetière indien de tradition archaïque récemment découvert à Port-au-Choix.

Il s'agit d'un petit village de pêche sur la côte ouest de Terre-Neuve, à peu près à mi-chemin de la longue péninsule qui pointe vers le nord comme un énorme index. Le village domine les eaux agitées du golfe Saint-Laurent et fait face au Québec et au Labrador. D'énormes vagues déferlent sur les rives, mais les bateaux de pêche s'abritent dans un havre que les habitants de la région nomment Back Arm. Face au port, à quelque deux cents pieds de distance, une large plage s'étend sur près d'un mille et se trouve aujourd'hui presque vingt pieds au-dessus du niveau de la mer. C'est là qu'on a découvert en 1967-1968 un petit cimetière de plus de cinquante tombes qui contenaient presque cent squelettes ou parties de squelettes.

Ces Indiens préhistoriques ont été enterrés dans une couche profonde de sable fin, mêlé de particules de coquillages, qui repose sur un fond de roches calcaires. C'est l'alcalinité de ce sous-sol inhabituel qui explique l'étonnante conservation des squelettes. Le cimetière est assez petit. Les corps des enfants sont étendus, tandis que ceux des adultes sont repliés ou superposés ou même

désarticulés. L'intérieur des fosses est tapissé d'ocre rouge, couramment employée dans les sépultures indiennes; les corps, même ceux des enfants, ont été enterrés avec des objets divers: épingles, peignes, perles, pendentifs, lances, harpons et autres armes, ainsi qu'avec des outils comme les haches, doloires, burins et grattoirs dont les Indiens se servaient pour façonner les quelques matériaux bruts dont ils disposaient.

Ces Indiens sont des représentants de la tradition archaïque des Maritimes qui se concentre dans les provinces de l'Atlantique, à Terre-Neuve et au Labrador, mais s'étend vers l'ouest jusqu'au Québec et vers le sud jusque dans les États de la Nouvelle-Angleterre. Leur mode de vie, adapté à un environnement septentrional où dominent les conifères, est aussi axé sur la mer. Ils tirent leur subsistance de la chasse du gros gibier comme le caribou, le phoque et le morse, ainsi que de nombreuses espèces d'oiseaux de mer, de crustacés et de poissons. La tradition archaïque des Maritimes a subsisté approximativement de l'an 3000 av. J.-C. jusqu'à l'ère chrétienne, et Port-au-Choix a probablement été occupé pendant près du tiers de cette période. D'après la méthode de datation au carbone radioactif, qui mesure la désintégration progressive, à partir du moment du décès, du radio-isotope du carbone présent dans toute matière vivante, l'homme préhistorique a dû habiter Port-au-Choix entre 2300 et 1300 av. J.-C. Cet emplacement est l'un des plus importants cimetières archaïques connus dans le nord-est du continent nord-américain.

Si Terre-Neuve recèle certains des plus intéressants vestiges des Canadiens de la préhistoire immigrés d'Asie, on y découvre également les traces de l'arrivée des colons européens qui sont devenus les Canadiens de la période historique. Port-au-Choix, comme il est dit précédemment, se situe au milieu de la péninsule au nord de l'île; à l'extrémité de cette péninsule, se trouve l'Anse aux Meadows, emplacement de la première colonie norvégienne en Amérique du Nord.

1   Premiers établissements

L'Habitation de Port-Royal. Cette première colonie française connaît une brève période de prospérité suivie de déboires

sur la côte atlantique

...conomiques. La reconstruction a été entreprise en 1938-1939 d'après les plans de Champlain et d'autres documents de l'époque.

CE SONT LES NORVÉGIENS qui réussissent les premiers à traverser l'Atlantique Nord pour s'implanter sur les rives du pays appelé aujourd'hui Canada. Leur installation précaire aux confins du Nouveau Monde est l'aboutissement de la grande expansion des pays scandinaves. Aiguillonnés par le problème de la surpopulation, avides de vastes terres et de richesses faciles à cueillir, les Vikings de la Norvège et du Danemark quittent leurs patries trop étroites vers la fin du VIIIe siècle et entreprennent leurs premières expéditions. Ils envahissent d'abord l'Europe occidentale et les îles de la côte. Pendant plus de deux siècles, attaques, raids, pillages, conquêtes et nouveaux établissements se succèdent. C'est le plus grand mouvement de population en Occident depuis la conquête de l'Empire romain par les barbares germaniques cinq siècles plus tôt. Les Francs et les Goths se sont avancés vers l'ouest par les terres, mais les Vikings viennent par mer et c'est surtout la rapidité de leurs navires, surnommés les «coursiers des mers», qui rend leurs incursions si imprévisibles et si terrifiantes.

Leur vaisseau de guerre est une longue barque aux lignes effilées, bordée à clin de planches de chêne et munie d'une seule voile carrée très colorée; la proue est ornée d'une tête de dragon. Une soixantaine de guerriers prennent place à bord, vêtus de costumes barbares, ornés de broches et de bracelets, leurs boucliers accrochés aux bordages du navire. Ils traversent, à la voile ou à la rame, la mer du Nord ou descendent la Manche pour débarquer sur une côte, remonter un estuaire ou une rivière et attaquer les villages sans défense en brandissant arcs, épées et haches.

Ces pillards sanguinaires suivent deux grands itinéraires. Le premier, en direction nord-ouest, passe par l'Écosse, les îles Orcades, Shetland et Féroé et rejoint l'Islande. Le deuxième, en direction sud-ouest, les conduit en Angleterre, aux Pays-Bas, en France, en Espagne, au Portugal et dans la Méditerranée. Ce second parcours, marqué de nombreuses victoires comme la création du Danelagh en Angleterre et la conquête de la Normandie en France, devient vite le plus suivi et le plus célèbre. Toutefois, la route de l'Ouest, qui décrit un grand arc à travers l'Atlantique Nord pour aboutir en Amérique du Nord, ne manque pas non plus d'intérêt et d'importance, mais pour d'autres motifs.

Même si les entreprises des Vikings s'accompagnent presque toujours de violence et de mort, ce ne sont pas tant les guerres et les conquêtes qui marquent leur progression sur la route de l'Ouest que les découvertes et la colonisation. Avant que ne débutent les pillages vikings en Europe occidentale, les Norvégiens ont pacifiquement colonisé les îles Orcades, Shetland et Féroé; c'est dans la dernière moitié du IXe siècle qu'ils découvrent et occupent l'Islande, une île volcanique désertique, composée en grande partie de lave et de glaciers. Tout comme les bateaux vikings, les navires de ces colonisateurs sont construits à clin, mais là s'arrête la similitude. Ce sont des embarcations de transport pontées, très larges, à grand tirant d'eau et assez spacieuses pour contenir passagers, animaux, marchandises et équipage. Contrairement aux Vikings qui terrorisent l'Angleterre et l'Europe, les marins de la route de l'Ouest ne portent pas d'habits richement décorés, mais de simples tuniques à capuchons en lainage grossier appelé *wadmal*; pour dormir, ils se couvrent de peaux de mouton ou de vache.

Par beau temps, on peut voir de la côte occidentale de l'Islande une pâle ligne de montagnes qui s'estompent à l'horizon. Pour Erik le Rouge, qui a hérité du tempérament violent de son père, un tel spectacle est synonyme d'évasion et d'aventure. Thorwaldr, son père, a été banni de Norvège pour avoir tué un homme et s'est réfugié en Islande. Banni à son tour de son pays pour homicide, Erik décide d'aller vivre dans les territoires inconnus plus à l'ouest. En 982, il découvre une île immense recouverte de glace et passe l'hiver sur la côte la plus éloignée. Il ne peut retourner vivre dans son pays et ne le désire pas non plus. Il va donc fonder une colonie sur la terre qu'il vient de découvrir et qu'il baptise Groenland (terre verte); ce nom, que l'on pourrait qualifier de publicité mensongère, est destiné à séduire les futurs colons. En 986, à la tête d'une flotte de vingt-quatre navires, Erik repart triomphalement vers son île, atteint de nouveau la côte occidentale sain et sauf et y fonde deux colonies.

L'Anse aux Meadows. Les explorateurs norvégiens auraient occupé ces lieux vers l'an 1000 après J.-C.

L'habitation la plus grande de l'Anse aux Meadows comprend plusieurs pièces. Même si certains détails de l'emplacement ne correspondent pas exactement aux descriptions que Leif a faites de Vinland, il semble que cette colonie ait survécu plusieurs décennies.

Même au Groenland, l'attrait de l'Ouest persiste. L'esprit d'aventure qui a mené Thorwaldr en Islande et Erik au Groenland est encore assez fort pour entraîner Leif, fils d'Erik, jusqu'au bout de la route de l'Ouest, dans le Nouveau Monde. Vers l'an 1000, Leif prend la tête d'une expédition dans le but de gagner l'Ouest, puis de descendre vers le sud. Il découvre d'abord une terre désertique re-

vignes et où les saumons sont les plus gros qu'il ait jamais vus. Leif baptise cette terre Vinland (terre des vignes); avec l'aide de son équipage, il y construit des maisons afin d'établir une colonie permanente. À son retour, le récit enthousiaste qu'il fait de cette découverte éveille l'intérêt des habitants du Groenland; au cours des quinze années suivantes, plusieurs voyages sont entrepris au Vinland, dont deux par les frères de Leif et un par sa fille illégitime, Freydis, l'une des meurtrières les plus cruelles de toute l'histoire des Vikings. Il y a également au moins une tentative de colonisation massive, mais elle échoue.

Helluland est sans doute la rive sud de l'île de Baffin, et Markland, fort probablement, une partie de la côte du Labrador. Quant à l'emplacement de Vinland, il demeure beaucoup plus incertain. Les indications topographiques contenues dans les sagas scandinaves sont confuses et semblent parfois contradictoires. Vinland, cette merveilleuse terre des Groenlandais, a été située partout, à Terre-Neuve comme en Nouvelle-Angleterre, mais avant 1960, aucun fait archéologique n'était venu confirmer ces diverses hypothèses. Cette année-là, un Norvégien du nom de Helge Ingstad découvre les fondations d'un certain nombre de maisons précolombiennes à l'Anse aux Meadows, sur la baie des Épaves qui se rattache à la baie Sacred, une très grande nappe d'eau à la pointe nord de Terre-Neuve.

La baie des Épaves, large et légèrement incurvée, fait face à l'entrée du détroit de Belle-Isle; peu profonde, elle découvre un vaste estran à marée basse. Une grande plaine verdoyante, ondulée par endroits et un peu spongieuse sous les pas, s'étend de tous côtés vers l'intérieur. On y trouve une grande variété de buissons, de plantes et d'herbes. Sorbier d'Amérique, genévrier, iris, angélique noire-pourprée, lédon du Groenland, myrtilles, pain de perdrix et mûres blanches forment un épais tapis de broussailles. Une petite rivière tumultueuse, du nom pittoresque de Black Duck, serpente cette plaine et vient se jeter dans la baie. À quelque distance du rivage, une légère élévation du terrain signale une ancienne terrasse marine. C'est le long de cette terrasse qu'on a retrouvé les fondations, faites de couches superposées de tourbe, de huit maisons éparses de dimensions diverses ainsi que les vestiges d'abris de bateaux et de

couverte de roches plates et de glaciers, qu'il baptise Helluland (terre du rocher plat), puis une région très différente, couverte de forêts denses et de plages au sable blanc, qu'il nomme Markland (terre forestière). Des vents violents du nord-est font dériver son bateau pendant deux jours; au matin du troisième jour, Leif se retrouve en face d'une terre merveilleuse, riche en pâturages et en

CI-DESSUS: *Poisson traité à bord du navire. Le salage se fait dans la cale. L'agrandissement nous montre comment on nettoie le poisson (à gauche) et comment on le pêche (à droite).*

CI-DESSOUS: *Vue d'ensemble des diverses opérations de séchage, du bateau à la terre ferme.*

fosses pour la cuisson. La plupart de ces bâtiments, notamment le plus grand qui compte six pièces, sont situés au nord de la petite rivière. L'un d'eux toutefois, qui logeait vraisemblablement une forge, se trouve du côté sud; comme il y a du fer des marais à cet endroit, il est fort possible que les Norvégiens y aient fondu et forgé ce métal. La découverte d'un volant de fuseau en pierre à savon de conception typiquement norvégienne, d'une épingle en bronze surmontée d'un anneau, ainsi que de plusieurs rivets de fer permet de supposer qu'une femme norvégienne filait de la laine dans l'une des pièces de la plus grande maison.

Selon les sagas, la découverte et l'occupation de Vinland remontent au début du XIe siècle et, d'après les essais de datation au carbone, les ruines de l'Anse aux Meadows se situeraient vers la même période. Il est possible que ce ne soit pas l'emplacement du Vinland, mais il ne fait aucun doute que les hommes et les femmes de Norvège qui ont construit et habité ces maisons furent parmi les premiers Européens à vivre en Amérique du Nord.

LA COLONISATION du Vinland par les Norvégiens a peut-être duré quinze ans. Les établissements du Groenland ont survécu un peu plus longtemps, mais une baisse de la population et la dégradation du niveau de vie ont entraîné leur disparition au début du XVe siècle. Ce second recul de la colonisation, laquelle d'ailleurs s'était accomplie avec tant de difficultés, ne signifie pas que la route septentrionale a perdu son importance comme voie de colonisation et de découverte. En fait, il signifie simplement que le rôle prépondérant joué jusqu'alors presque exclusivement par les Norvégiens va être assumé par d'autres, principalement par des nations qui s'identifient davantage à l'Europe occidentale. Dès le début du XVe siècle, les pêcheurs basques, portugais et français ont commencé à se rendre à Terre-Neuve et, avant la fin du siècle, l'intérêt suscité par la route septentrionale s'accroît considérablement car on croit qu'elle mène directement en

Orient. Lorsqu'il découvre Terre-Neuve, Jean Cabot pense naïvement avoir atteint le Cathay, mais ces territoires, qu'ils soient on non rattachés à l'Asie, représentent aux yeux des marchands et des monarques européens un champ sans doute propice au commerce et à la colonisation. Ces terres qui jusqu'alors font vivre péniblement de modestes pêcheurs vont maintenant éveiller la cupidité et l'ambition des villes riches et des monarchies puissantes. À la charnière du siècle, l'Angleterre, le Portugal et la France entreprennent des expéditions à caractère plus ou moins officiel au Groenland, au Labrador et à Terre-Neuve. Par la suite, ces trois nations vont revendiquer, en des termes souvent imprécis mais toujours grandiloquents, la possession de ces nouvelles terres du Nord-Ouest.

La création de ces royaumes sur papier ne constitue pas la principale conséquence des multiples expéditions vers le Nord-Ouest. Leur résultat le plus concret et le plus durable est l'établissement de bancs de pêche internationaux au large de la côte sud-est de Terre-Neuve. Ce sont les pêcheurs anglais, normands, bretons, biscaïens, basques, portugais, et non les explorateurs officiels ou les gouverneurs, qui, les premiers, explorent et baptisent les principaux points géographiques de Terre-Neuve, du détroit de Belle-Isle et du Cap-Breton. Au début, ces pêcheurs restent assez près du rivage parce que le poisson abonde et que les havres profonds de Terre-Neuve leur offrent un refuge immédiat en cas de tempête soudaine dans l'Atlantique. Avec le temps, ils s'aventurent plus au large et font alors une découverte presque aussi importante que celle de Terre-Neuve, découverte qui rendra les pêcheries de l'Atlantique Nord les plus célèbres du monde. La topographie irrégulière et profondément découpée du littoral nord-est, avec ses baies, ses détroits, ses péninsules et ses îles, provient d'un fantastique effondrement géographique survenu à une ère géologique lointaine. À l'exception de Terre-Neuve, du Cap-Breton, de l'île d'Anticosti, de l'île du Prince-Édouard et de la péninsule de la Nouvelle-Écosse, tout le plateau continental a été submergé, ce qui a entraîné la formation de hauts-fonds ou plateaux à faible profondeur appelés par la suite «bancs». À cet endroit, la lumière du soleil filtre entre les hauts-fonds, et les courants chauds du Gulf Stream rencontrent les courants froids du Labrador; c'est là

que se trouvent les aires de reproduction d'une très grande variété d'organismes marins, depuis le plancton microscopique dont se nourrissent les petits poissons jusqu'aux grasses morues qui vivent de petits poissons. La morue, gros poisson très prolifique, est assez riche en protéines pour être surnommée le «boeuf de l'océan». Comme la viande s'avarie rapidement en Europe et qu'il y a plus de cent jours maigres par année, le marché de la morue salée est presque illimité.

Le traitement du poisson, qu'il s'agisse de salage ou de séchage, nécessite au moins quelques arrêts sur le littoral. Dans le traitement «par voie humide», les prises de la journée sont généreusement salées, puis séchées rapidement sur le pont du navire et emballées dans la cale. C'est la morue verte. Pour le traitement «par voie sèche», la morue est transportée sur le rivage, découpée en filets et séchée sur une plage exposée aux vents ou sur un tréteau appelé «claie». La première technique exige d'importantes quantités de sel de mer qui s'obtient par évaporation de l'eau de mer. Grâce à leurs côtes ensoleillées, les Français et les Portugais peuvent facilement en produire à peu de frais. Il n'en va pas de même pour les Anglais, dont le pays est pluvieux et enveloppé de brouillard. Ils doivent acheter leur sel ou l'obtenir en échange d'autres produits. Ils l'utilisent donc avec beaucoup de parcimonie; c'est pourquoi ils sont les premiers, plutôt que les Français et les Portugais, à se spécialiser dans la préparation du poisson séché. Leurs escales deviennent, par le fait même, indispensables et longues. Ils doivent choisir avec soin les ports et les plages, y installer leur matériel stable (claies, entrepôts, habitations de fortune), puis attendre des semaines que leur cargaison soit séchée. Lorsque le traitement du poisson se fait directement à bord du navire, ces longs séjours à terre ne sont pas nécessaires, mais il faut quand même s'arrêter à l'occasion pour faire provision de bois et d'eau fraîche. C'est ainsi que les morutiers découvrent et explorent peu à peu bien des endroits propices sur le littoral.

Les pêches anglaises sont surtout concentrées sur la rive orientale de la péninsule Avalon ainsi que sur le pourtour des baies de la Conception et de la Trinité. Quant aux pêches françaises, elles sont plus dispersées et s'étendent de la côte sud de Terre-Neuve jusqu'à l'île du Cap-Breton à l'ouest, mais c'est la baie de Plaisance sur la rive occidentale de la péninsule Avalon qui devient leur principal centre d'activité. Une douzaine de petits postes de pêche, qu'on ne peut encore appeler colonies, sont créés sur le littoral adopté par les Anglais, de la baie de la Trinité à Cape Race, mais Saint-Jean, grâce à sa topographie bien particulière, ne tarde pas à prédominer. Un canal étroit bordé de hautes collines débouche presque à angle droit sur un port spacieux et bien protégé. Plaisance, port français rival de Saint-Jean, a lui aussi ses avantages. Situé dans un estuaire où convergent deux rivières, il est également protégé de chaque côté par des collines escarpées. Du côté nord, les falaises s'élèvent en pente raide au-dessus de l'eau tandis que du côté sud, une immense plage de galets et de sable ceinture presque entièrement le port. Cette immense plage ensoleillée convient parfaitement au séchage du poisson et les Français, comme les Anglais, passent de plus en plus de temps à terre.

L'industrie de la pêche aurait dû entraîner assez vite l'établissement d'une population permanente à Terre-Neuve, mais des intérêts puissants, notamment en Angleterre, font échec à un tel essor. Les marchands qui détiennent le monopole des pêcheries anglaises sont résolus à ne faire appel qu'à des navires anglais et qu'à des équipages résidant en permanence en Angleterre. À leurs yeux, un colon est un intrus qu'il faut vexer de toutes les façons. Malgré ce pénible traitement, la population de Terre-Neuve commence à croître, mais très lentement.

Il s'est écoulé plus d'un quart de siècle depuis la découverte des «terres neuves» par Cabot et on s'interroge encore sur la nature de ce mystérieux territoire dans le nord-ouest de l'Atlantique. Ce pourrait être un prolongement du Cathay ou de la Tartarie ou encore une partie d'un immense archipel et, dans ce cas, il serait sûrement possible de trouver une route menant jusqu'en Orient. Le jeune roi de France, François Ier, s'intéresse vivement à cette question; à sa demande, le navigateur italien Giovanni Verazzano remonte la côte à partir de ce qui va devenir la Caroline du Nord jusqu'à Terre-Neuve, sans trouver aucune route d'accès vers l'ouest. L'Amérique du Nord n'est donc pas un archipel, mais bien un continent. Peut-être alors serait-il possible de découvrir un passage au

nord-ouest qui permettrait de le contourner et constituerait la dernière étape de la route de l'Ouest des Vikings. Tenace, François Ier persuade le pape de modifier son partage original du Nouveau Monde entre l'Espagne et le Portugal. Ainsi, d'autres pays catholiques peuvent maintenant revendiquer les terres que l'Espagne n'a pas encore occupées de son côté de la ligne de démarcation. Fran-

çois Ier compte bien être le premier à tirer profit de cette concession. Il nomme Jacques Cartier explorateur officiel. C'est un marin breton qui connaît bien Terre-Neuve. Le 20 avril 1534, Cartier appareille avec deux navires à la découverte de métaux précieux et d'une route vers l'Asie par le nord-ouest.

En 1535, Jacques Cartier, à la recherche de la route du Cathay, traverse l'Atlantique et hiverne le long du Saint-Laurent, très loin en amont. Cette réplique de son voilier, la Grande Hermine, *a été faite selon les techniques de construction de l'époque.*

Jusqu'au détroit de Belle-Isle, la route est bien connue. Puis Cartier met le cap sur le sud-ouest et laisse derrière lui un paysage septentrional familier, avec ses eaux gris fer et ses côtes arides et tristes, pour pénétrer dans le golfe Saint-Laurent. Il trouve là un décor ensoleillé et chaud ainsi qu'une végétation luxuriante. Surpris et enchanté, il s'aventure dans les baies et contourne les îles, cherchant en vain le fameux passage de l'Ouest. Jacques Cartier n'a pas atteint l'objectif principal de son expédition, mais il sait qu'il a découvert des terres aux possibilités illimitées et réussit facilement à en convaincre le roi. Il repart un an plus tard, le 19 mai 1535, à bord de la *Grande Hermine,* vaisseau court, large et massif d'environ cent tonneaux, ponté à l'avant et à l'arrière et muni de deux grands mâts. Deux navires plus petits l'escortent. Au cours de ce deuxième voyage, il trouve l'embouchure d'un cours d'eau que l'on nommera plus tard le Saint-Laurent; au début de septembre, la flottille remonte prudemment le fleuve et atteint l'île d'Orléans, «le commencement de la terre et prouvynce de Canada». Le lendemain, Cartier remonte la rivière Saint-Charles et jette l'ancre à l'entrée d'un petit affluent, le Lairet. Il trouve cet endroit magnifique; le sol est fertile et peuplé de beaux arbres. Plus à l'ouest, le Saint-laurent se rétrécit et sa rive gauche s'élève en pente raide jusqu'à un promontoire majestueux.

C'est là que les Français passent l'hiver tant bien que mal. Ils apprennent des Indiens le secret des infusions de cèdre blanc grâce auxquelles ils peuvent vaincre le scorbut qui a déjà fait des morts parmi l'équipage. Au début de mai, quelques semaines seulement après la débâcle, Cartier reprend le chemin du retour. Ce premier hiver passé à Québec a été une dure expérience, mais le Saint-Laurent, la «rivière de Canada» qui s'enfonce vers l'ouest, a éveillé son enthousiasme. Il revient en France rêvant de voyages, de merveilleuses légendes indiennes et de projets ambitieux. Cette fois encore, il réussit à intéresser le roi François Ier. En 1541, une troisième expédition s'organise enfin sous le commandement du sieur Jean-François de La Rocque de Roberval, assisté de Cartier; beaucoup plus importante, la flotte regroupe huit vaisseaux et plusieurs centaines de marins, soldats et colons. Ces préparatifs imposants semblent garantir le succès de l'expédition, mais tout

va mal du début à la fin. Il y a tant d'avis contraires et de désaccords qu'il faut abandonner la partie à l'été de 1543. Même l'or et les pierres précieuses que Cartier a rapportés pour exalter l'importance de ses découvertes et rehausser sa réputation se révèlent illusoires. L'or n'est que de la pyrite tandis que les diamants sont en fait des morceaux de quartz.

Il n'en reste pas moins qu'à l'hiver 1535-1536, lorsque Cartier a ancré ses navires dans le fleuve au pied du promontoire qui deviendra le cap aux Diamants, il a choisi de main de maître la future plaque tournante de l'activité française en Amérique du Nord.

L'ÉPOQUE des grandioses expéditions officielles est terminée, mais l'échec des premières tentatives de colonisation ne signifie pas pour autant que la France a perdu tout contact avec l'Amérique du Nord. Cartier a décrit les possibilités qu'offre le golfe Saint-Laurent et c'est au tour d'humbles pêcheurs français, aujourd'hui oubliés, chargés d'aucune lettre royale ni d'aucune mission officielle, de pénétrer à sa suite dans le golfe comme ils ont suivi Cabot jusqu'à Terre-Neuve près d'un demi-siècle plus tôt. Les pêches françaises ont toujours été très dispersées, mais lorsque Bretons et Biscaïens adoptent à leur tour le traitement «par voie sèche» des Anglais, elles s'étendent encore davantage. De plus en plus de pêcheurs français jettent l'ancre au large du Cap-Breton, de la Gaspésie et de la côte nord du golfe. Comme à Terre-Neuve, le séchage du poisson nécessite des séjours prolongés sur les rivages. À Terre-Neuve, cela n'a guère occasionné de rencontres avec les quelques aborigènes de l'île, mais les Amérindiens étant plus nombreux sur le continent, les pêcheurs français ont tôt fait de commercer avec les Micmacs de la Nouvelle-Écosse, les Malécites de la Gaspésie et les Montagnais des hautes terres laurentiennes. Ils échangent diverses denrées contre le seul bien précieux que ces Indiens encore à l'âge de pierre semblent posséder, les fourrures.

Le récit le plus ancien de telles transactions remonte à juillet 1534, date du premier voyage de Cartier; des Indiens accourent sur les rives de la baie des Chaleurs en brandissant des fourrures au bout de bâtons. Cet événement est peut-être la première démonstration du génie de l'Amérique du Nord pour la publicité, mais les échanges qui se font le lendemain ont un caractère fort modeste. Les deux parties se sont préparées à de tels échanges et les Français, qui savent quels articles plaisent aux Indiens, ont apporté des couteaux et des haches. Pour Cartier toutefois, ces fourrures n'ont que peu de valeur. Il est vrai que cela se passe au tout début du XVIe siècle, alors qu'il n'y a guère de demande pour le castor et que le commerce des fourrures n'est qu'un complément de la pêche.

Vers la fin du siècle, les choses prennent rapidement une tout autre tournure. Les chapeaux de castor, de toutes formes et de toutes tailles, sont à la mode et deviennent indispensables à la noblesse et à la bourgeoisie. Le marché de la fourrure de castor s'accroît de façon constante en Europe; dans le golfe et sur les bords du Saint-Laurent, le commerce des fourrures, jusque-là parent pauvre de la pêche, prend vite de l'essor. Les pêcheurs débarquent habituellement sur la côte nord pour faire sécher leurs poissons et pour pêcher la baleine et le morse; un jour, ils décident de remonter le fleuve vers l'ouest, atteignent le Saguenay et fondent à Tadoussac un petit poste de traite. C'est ainsi qu'ils changent de vocation et abandonnent la pêche pour se lancer dans le commerce de la fourrure.

Ce commerce, dirigé par des groupes d'aventuriers inconnus, prospère dans l'ombre pendant un certain temps, mais vers la fin du XVIe siècle, deux grands événements le mettent en vedette. Il y a d'abord l'expansion même du commerce qui, de toute évidence, est en voie de devenir une affaire rentable, voire même florissante. Le second événement, plus important du point de vue politique, est le regain d'intérêt de l'Angleterre pour l'exploration de l'Ouest et les tentatives répétées de Frobisher, Gilbert, Davis et Hudson pour trouver un passage vers l'Asie par le nord-ouest. Il est évident que si la France tarde à occuper ses territoires du Nouveau Monde, ses rivaux anglais ré-

Le rêve de Jean de Biencourt de Poutrincourt est de fonder une grande colonie agricole à Port-Royal. Jamais il n'y renoncera, même si les autres ont perdu tout espoir.

31

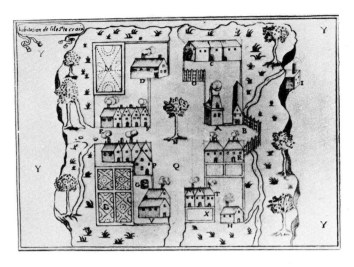

Vue de l'île Sainte-Croix d'après Champlain, en 1604.

clameront le droit du premier occupant. Malheureusement, la monarchie française est affaiblie à ce moment par des luttes extérieures et intestines et n'est pas en mesure d'assumer les lourdes charges de la colonisation. La France abandonne donc cette tâche à ses sujets et les traitants de fourrures semblent être les seuls à pouvoir la remplir avec quelque chance de succès.

L'État a besoin des capitaux et de l'expérience des marchands de fourrures qui, pour leur part, savent maintenant qu'ils ne peuvent se passer de l'appui de l'État. Ils ont tôt fait de constater que la traite des fourrures est bien différente de la pêche. Cette dernière est pratiquée dans un territoire immense par un grand nombre de personnes qui peuvent compter sur des réserves inépuisables de poissons. Par contre, le commerce des fourrures est limité à quelques postes de traite dans le golfe et le long du fleuve, et l'approvisionnement dépend d'une poignée de petites bandes d'Indiens. À l'opposé de l'industrie de la pêche, qui fleurit sous l'impulsion de l'initiative personnelle et de la liberté commerciale, le commerce des fourrures semble exiger plus d'organisation et la concession de monopoles. Toutefois, les monopoles sont des privilèges politiques que seul l'État peut accorder et la monarchie française, dont le trésor est vide, décide d'accorder ses faveurs à prix fort. Les marchands de fourrures n'obtiennent des monopoles qu'à la condition d'entreprendre la colonisation de la Nouvelle-France. L'État a ainsi trouvé le moyen

de coloniser à peu de frais ses territoires d'outre-mer.

Les deux premières tentatives échouent et, en 1604, le monopole passe à Pierre du Gua de Monts, ancien traitant de fourrures qui a déjà fait plusieurs voyages en Nouvelle-France. De Monts rassemble un groupe distingué. On y retrouve Jean de Biencourt de Poutrincourt, soldat-courtisan et aventurier romantique qui rêve de fonder une grande colonie au Nouveau Monde, François Gravé Du Pont, connu sous le nom de Pont-Gravé et navigateur d'expérience qui connaît bien les eaux de l'Amérique du Nord, ainsi que Samuel de Champlain, le plus jeune des associés et nouveau venu dans le commerce des fourrures, mais qui a déjà fait ses preuves en tant que géographe et explorateur.

Au printemps de 1604, les sieurs de Monts, Pont-Gravé, Poutrincourt et Champlain partent pour l'Amérique du Nord avec un fort contingent de soldats et de colons dont beaucoup sont d'habiles artisans. Après avoir exploré avec un enthousiasme croissant la côte de l'Acadie, ils choisissent à la fin de juin l'emplacement de la première colonie. C'est une petite île d'environ cinq acres dont la pointe sud est partiellement rattachée à deux îlots d'environ 400 verges de longueur. L'île est située au milieu d'une rivière, à quatre milles de l'embouchure; à cet endroit, le cours d'eau qui a plus d'un mille de largeur subit encore l'effet des marées et ses eaux sont salées. Pour le sieur de Monts, l'isolement de ce site devrait représenter une très bonne protection contre les aborigènes inconnus et peut-être hostiles, mais les ressources de l'île sont limitées car on y trouve peu de bois et pas d'approvisionnement stable en eau. De Monts la nomme île Sainte-Croix. Connue aujourd'hui sous le nom d'île Dochet, elle se trouve du côté américain de la frontière, mais la rivière porte encore le nom de Sainte-Croix donné par le sieur de Monts.

Les Français ont choisi de s'établir sur la côte atlantique dans l'espoir d'échapper aux terribles hivers de la vallée du Saint-Laurent. Mais jamais colons ne furent si amèrement déçus car l'hiver de 1604-1605 fut exceptionnellement rigoureux. Le 6 octobre, alors qu'ils viennent tout juste de terminer les maisons, les salles communes et les ateliers, la neige se met à tomber; jusqu'à la fin d'avril, elle

La salle communautaire de Port-Royal, où ont lieu les fêtes célèbres de l'Ordre de Bon Temps.

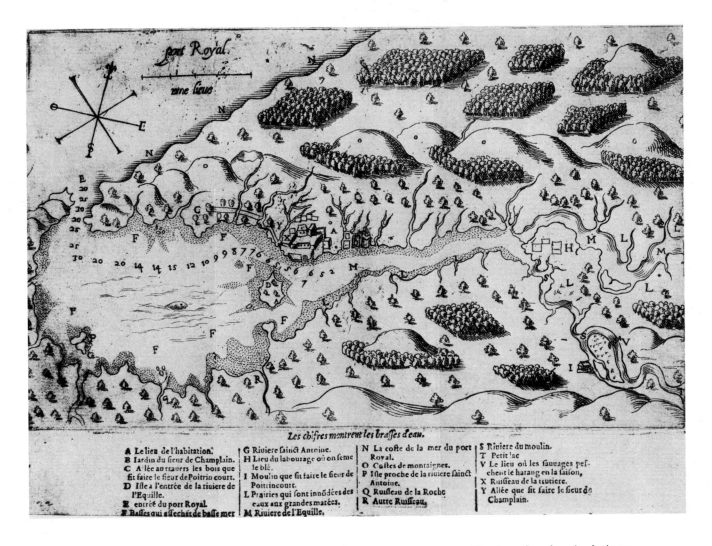

Plan de Port-Royal présenté par Champlain. L'Habitation (A) est presque au centre. Plus bas, dans le coin droit, se trouve le moulin de Poutrincourt, le premier en Amérique du Nord.

ne cesse de s'accumuler, accompagnée d'un froid cruel. Le cidre gèle dans les tonneaux et il faut répartir les rations selon le poids de chacun. Les colons doivent aller chercher du bois et de l'eau sur la terre ferme et lorsque l'eau manque, ils boivent de la neige fondue. Souffrant du froid, inactifs, mal nourris de viande salée, les colons passent l'hiver blottis au coin du feu. Ils ne tardent pas à souffrir du scorbut et, comme les Indiens de la région ne semblent pas connaître la miraculeuse tisane de Cartier, ils ne peuvent rien faire contre cette terrible maladie. Trente-cinq colons meurent et environ trente-cinq autres ne sont sauvés que par l'arrivée du printemps. Lorsque revient enfin le temps chaud, tous sont convaincus qu'ils ne pourront supporter un autre hiver sur cette île redoutable.

Après avoir exploré le littoral plus au sud, les colons décident de transporter leur colonie à Port-Royal, de l'autre côté de la baie Française (la baie de Fundy), dans le bassin qui deviendra Annapolis. Champlain est satisfait de ce nouvel emplacement. Il trouve le climat plus tempéré et plus agréable que sur l'île Sainte-Croix et espère que ce site abrité protégera la colonie des terribles vents du nord-ouest. La nouvelle installation a lieu vers la fin de l'été 1605. Les colons emportent avec eux le plus de bois possible de leurs anciennes maisons.

Le groupe a beaucoup diminué. Tous les colons, à l'exception de trois, sont résolus à retourner en France. La petite communauté qui passe son premier hiver à Port-Royal ne compte plus que la moitié des effectifs de l'île Sainte-Croix.

Les colons ont enfin trouvé un meilleur emplacement, mais ils ont surtout acquis beaucoup d'expérience. Ainsi, au lieu de construire des maisons dispersées et parfois bien peu résistantes, ils n'érigent qu'une seule grande habitation, bien compacte, à l'épreuve des intempéries et facile à défendre. Les colons ont également appris qu'il ne faut pas compter uniquement sur les provisions apportées de France, mais trouver le plus possible leur subsistance sur place. La recherche de gibier et de poisson frais leur procurera de l'exercice et leur permettra de varier leur alimentation au cours de l'hiver; ce sont là, ils le savent maintenant, deux facteurs essentiels à la prévention du scorbut.

Les Micmacs de la région, notamment leur chef Sagamo Membertou, se montrent très amicaux et aident les colons à s'adapter à leur nouvel environnement. C'est toutefois grâce à une idée de Champlain si le groupe connaît un deuxième hiver très actif à Port-Royal; chacun rivalise d'adresse pour rapporter le meilleur gibier de la région. En effet, l'Ordre de Bon Temps a été créé autour de la table de Poutrincourt et, tous les quinze jours, chaque membre doit se faire maître d'hôtel et décider des menus du jour. Comme les repas prennent l'allure de grands banquets, l'honneur du maître d'hôtel est en jeu chaque fois; quelques jours avant son tour, chacun part donc pêcher l'esturgeon ou chasser le canard, la perdrix, le castor ou l'orignal. En dépit de cet exercice physique et d'un meilleur régime alimentaire, le scorbut fait encore des ravages. Les Français n'en connaissent ni la cause ni le remède. Douze colons meurent au cours de l'hiver 1605-1606 et sept autres l'hiver suivant.

La survie, sinon la croissance, de la petite colonie semble maintenant assurée, mais son existence dépend à la fois des recettes de la traite des fourrures et du maintien du monopole du sieur de Monts. À la fin de l'hiver 1606-1607, ces deux facteurs sont nettement moins assurés. En effet, le sieur de Monts n'a pas réussi à imposer ses droits au milieu de pêcheurs habitués à la liberté du commerce et à une concurrence acharnée. Il ne

Louis Hébert, homme aux multiples talents, consacré par l'histoire comme le premier colon canadien, est d'abord apothicaire à Port-Royal.

peut établir de surveillance sur un immense littoral très accidenté où il est facile d'aborder et de s'enfuir rapidement. Les traitants clandestins et les marchands privés ne se soucient pas le moins du monde du monopole du sieur de Monts; ils s'immiscent dans ses territoires et emportent les plus belles fourrures. Non seulement ils drainent des recettes indispensables à la survie d'entreprises coûteuses comme Port-Royal, mais ils s'attaquent au principe même du monopole, à tel point que le roi de France se décide soudainement à le révoquer. À la fin de juillet 1607, tout le groupe retourne en France, laissant Port-Royal complètement désert.

Le sieur de Monts aurait peut-être abandonné pour toujours le commerce des fourrures et la Nouvelle-France, n'eût été le pouvoir de persuasion de Champlain. Champlain, qui a collaboré aux tentatives de colonisation sur les bords de l'Atlantique, devient maintenant l'instigateur d'un ambitieux projet d'établissement plus au nord-ouest. En 1603, en remontant le Saint-Laurent

jusqu'à Québec, il a constaté que le grand fleuve était la seule porte d'entrée de ce vaste pays et qu'il suffisait d'occuper un point stratégique le long de son cours pour surveiller toutes les allées et venues. Il croit donc pouvoir faire respecter un monopole dans le Saint-Laurent, alors que cela est impossible sur la côte atlantique. L'argument est convaincant et le sieur de Monts fait une dernière tentative pour obtenir à nouveau son monopole. En dépit des protestations angoissées des traitants indépendants, le roi revient sur sa décision et rétablit le monopole ... pour un an! Au printemps de 1608, Champlain et Pont-Gravé partent pour le Saint-Laurent. L'emplacement où ils s'établiront est déjà trouvé. C'est un rétrécissement dans le fleuve où la rive gauche s'élève jusqu'à un promontoire imposant, là même où Cartier a ancré la *Grande Hermine* il y a près de soixante-quinze ans. Ce site deviendra la plaque tournante de la traite des fourrures.

L'ÉTABLISSEMENT d'une colonie sur le roc de Québec est décisif pour l'avenir de la France dans le Nouveau Monde. La vallée du Saint-Laurent devient le centre des entreprises françaises en Amérique du Nord. La côte atlantique passe au second rang et ne joue plus qu'un rôle mineur. Longtemps, la France la négligera, ne lui accordant qu'une attention sporadique. À mesure que son emprise se relâche, d'autres pays se hâtent de revendiquer des droits. Depuis que les premiers pêcheurs européens ont traversé l'Atlantique, Terre-Neuve ainsi que les autres îles et péninsules groupées à l'entrée du golfe Saint-Laurent sont presque considérées comme des territoires internationaux, ouverts à tous ceux qui cherchent un abri temporaire. Lorsque les Anglais établissent leurs premières colonies permanentes sur le littoral nord-américain, tout d'abord en Virginie puis en Nouvelle-Angleterre, le nombre de concurrents diminue dans cette région. Les intérêts et les ambitions britanniques s'accroissent dangereusement. La côte nord-est devient un territoire contesté. C'est à la fois un bastion de la Nouvelle-France, la frontière de l'Angleterre et un avant-poste de la Nouvelle-Angleterre.

L'abandon de Port-Royal en 1607 ne signifiait pas sa disparition définitive. Poutrincourt, qui rêve toujours de fonder une colonie dans le Nouveau Monde, y revient trois ans plus tard accompagné de son fils Charles de Biencourt, du prêtre Fléché, de Claude de Saint-Étienne de La Tour et de Charles, fils de ce dernier. Il est tout heureux de retrouver l'Habitation dans l'état où il l'a laissée. Cette nouvelle colonie, à la fois mission, poste de traite et établissement agricole, connaît dès le début une existence précaire et misérable. Elle est paralysée par le manque de fonds; à tour de rôle, de Biencourt et son père se rendent en France sans beaucoup de succès pour obtenir encore de l'aide. De plus, la paix idyllique à laquelle Poutrincourt a rêvé ne se matérialise jamais. Deux Jésuites autoritaires, les pères Biard et Massé, ont rejoint le prêtre Fléché et ne tardent pas à entrer en conflit avec le seigneur des lieux et son fils. Les deux factions se font une lutte acharnée. Finalement, en l'absence malencontreuse de Poutrincourt et de son fils, le clan adverse réussit à transporter une partie des colons sur d'autres terres derrière l'île des Monts-Déserts, près de l'embouchure de la rivière des Penobscots.

C'est à ce moment critique pour la colonie de Poutrincourt que survient une dernière catastrophe. Le capitaine Samuel Argall a été chargé par la Compagnie de Virginie d'expulser tous les intrus installés sur les terres revendiquées par l'Angleterre. Les Français n'ont pas encore terminé les fortifications de leur nouvel emplacement lorsque le capitaine les découvre et emmène la plupart d'entre eux en Virginie comme prisonniers. Plus tard dans l'année, il remonte encore vers le nord, capture Port-Royal et l'incendie complètement. Au printemps de 1614, lorsqu'il revient dans sa chère colonie après un autre voyage en France, Poutrincourt ne trouve que des ruines. C'est la fin de son grand rêve. Il repart définitivement en France, emmenant avec lui la plupart des derniers colons. Quant à de Biencourt, à Claude de Saint-Étienne de La Tour et à son fils Charles, ils restent à Port-Royal avec quelques compagnons. De Biencourt meurt en 1623 et lègue son commerce de fourrures à Charles de La Tour qui établit un poste de traite bien défendu, le Fort Lomeron, au

Monument érigé à Grand-Pré à la mémoire des Acadiens. Grâce au courage de ses membres, cette collectivité remarquable a survécu pendant des siècles malgré les vicissitudes de la guerre.

cap de Sable sur la pointe sud-ouest de l'Acadie. Il ne régnera pas bien longtemps en maître dans la région, car les attaques d'Argall ne sont que la première manifestation de l'intérêt croissant de l'Angleterre pour les terres avoisinant le Saint-Laurent.

EN 1621, sans se préoccuper des droits revendiqués par la France, le roi Jacques Ier d'Angleterre accorde toute l'Acadie, du cap Gaspé à la rivière Sainte-Croix, à son ami et compatriote écossais Sir William Alexander, le futur comte de Stirling. Les premières tentatives de colonisation de Sir William en Nouvelle-Écosse sont lamentables; mais en 1627, lorsque la guerre éclate entre l'Angleterre et la France, la concurrence anglaise dans le golfe Saint-Laurent se révèle tout à coup très menaçante. En 1628, des marins hardis et entreprenants, les frères David, Lewis, Thomas, John et James Kirke, nantis de lettres de marque du gouvernement britannique et soutenus par les marchands anglais, attaquent et capturent au large de la côte de Gaspé une flotte imposante que la jeune Compagnie des Cent Associés envoie à Québec pour entreprendre sa grande oeuvre de colonisation. En récompense de leur exploit, les frères Kirke demandent qu'on leur octroie des terres. Cependant, Sir William Alexander fait aussi valoir ses droits dans cette région et les deux parties décident sagement de faire cause commune. Au printemps de 1629, lorsque les frères Kirke partent à la conquête de Québec, Sir William Alexander, fils aîné du baronet, entreprend d'inaugurer le règne de son père en Nouvelle-Écosse. La lutte pour l'Acadie semble devoir prendre fin rapidement, mais tel n'est pas le cas. L'avenir devait confirmer cette leçon du passé, à savoir que l'Acadie est un territoire où il est vain de croire que tout est fini. La nouvelle colonie de Sir William à Port-Royal dépérit; une autre, au Cap-Breton, est détruite par les Français; enfin, Sir William ne réussit pas à déloger Charles de La Tour de sa forteresse du cap de Sable. En 1632, le traité de Saint-Germain-en-

Laye rend à la France toutes les terres conquises par l'Angleterre en Amérique du Nord.

Presque par miracle, la France reprend donc l'Acadie. Aiguillonnée par cette reconnaissance de souveraineté, elle tente de tout recommencer à neuf. Elle ne peut toutefois échapper complètement aux sombres et persistants problèmes du passé. La monarchie maintient donc sa méthode peu coûteuse de développement en imposant une mission de colonisation aux marchands de fourrures. La Compagnie des Cent Associés a été complètement ruinée par la guerre. Elle nomme Isaac de Razilly gouverneur de l'Acadie, mais comme elle n'a pas d'argent à lui donner, elle l'autorise à obtenir des fonds d'une compagnie de traite privée. Razilly fonde un village de pêche à La Hève, sur la rive sud de la péninsule, puis occupe à nouveau Port-Royal. C'est un bon début, mais aux lendemains incertains puisque Razilly meurt soudainement en 1635. Deux concurrents se disputent son poste, Charles de La Tour, qui est maintenant installé dans son nouveau fort, le Sainte-Marie à l'embouchure de la rivière Saint-Jean, et Charles de Menou d'Aulnay, à qui le frère et l'héritier d'Isaac de Razilly a confié les intérêts de la famille en Acadie.

Pendant les dix années suivantes, l'histoire de l'Acadie devient un récit biographique. Les annales ne mentionnent plus que la lutte entre d'Aulnay et de La Tour. De La Tour est appuyé par son épouse, Françoise-Marie Jacquelin, une femme pleine de ressources, dévouée et intrépide, et le fort Sainte-Marie devient une place forte dans cette brutale guerre personnelle. D'Aulnay attaque le fort à deux reprises; la seconde fois, comme de La Tour est à Boston, c'est sa femme qui commande les défenseurs. Elle résiste pendant trois jours et accepte de se rendre le quatrième jour, uniquement parce que d'Aulnay promet de faire grâce à tous. Manquant lâchement à sa promesse, il arrête et pend l'un après l'autre les soldats du fort. Quant à Françoise-Marie de La Tour, elle est contrainte d'assister à cet horrible spectacle, une corde autour du cou. Brisée par ces terribles événements qui s'ajoutent à toute une vie de luttes et de périls, elle meurt trois semaines plus tard et son mari quitte aussitôt l'Acadie pour Québec. Triomphant, d'Aulnay commence la colonisation paisible de

l'Acadie, mais la mort vient interrompre ses efforts cinq ans plus tard. Cette longue guerre personnelle a ruiné d'Aulnay; elle a entraîné la mort de Françoise-Marie de La Tour; le seul qu'elle ne semble pas avoir touché est l'indomptable de La Tour. Doué d'une personnalité énergique et attachante, il inspire confiance et se fait des amis partout où il va; tout au long de ses démêlés avec d'Aulnay, il a fait preuve de beaucoup d'énergie, de courage, d'ingéniosité et de débrouillardise. Il revient en Acadie, est nommé gouverneur, épouse la veuve d'Aulnay et finit ses jours dans son ancien poste de traite du cap de Sable.

Il s'est écoulé plus d'un demi-siècle depuis la création de la petite colonie du sieur de Monts sur l'île Sainte-Croix, et en dépit des nombreuses tentatives de colonisation, l'Acadie n'est pratiquement pas peuplée. La Hève est une simple station de pêche; les forts situés au cap de Sable et à l'embouchure de la rivière Saint-Jean sont des postes de traite et le seul établissement agricole important sur la péninsule s'étend autour de Port-Royal. Tous les colons des sieurs de Monts et Poutrincourt, à l'exception de quelques-uns, sont retournés en France. De Razilly en a amené de nouveaux auxquels sont venus s'ajouter ceux de d'Aulnay et de De La Tour. Puis l'immigration s'arrête. C'est cette poignée de colons, dont le nombre atteint environ 350 quelques années après la mort de De

La Tour, qui vont devenir les véritables fondateurs du peuple acadien.

Les rois et gouverneurs, toujours en rivalité ou en guerre, font bien peu pour eux. Ils doivent leur survivance à leur fécondité et à leur mode de vie simple et autonome. La pêche et la traite des fourrures ont peu d'intérêt pour eux. Ce sont des agriculteurs qui savent s'adapter avec beaucoup d'habileté et sans trop d'effort aux terres situées sur la rive sud de la baie de Fundy. Au lieu de consacrer temps et énergie au défrichage des hautes terres boisées, ils s'attachent plutôt aux basses terres et aux marécages sur le bord des petites rivières qui se jettent dans la baie. À Port-Royal, ils mettent au point une technique qui caractérise leurs exploitations agricoles; ils construisent des barrages de billes de bois consolidées avec de l'argile pour protéger les champs des marées de la baie et apprennent à produire de bonnes récoltes et un foin de marais de qualité. Bientôt, les environs de Port-Royal sont surpeuplés et, vers la fin du XVIIe siècle, les Acadiens commencent à émigrer vers l'est jusqu'au littoral du bassin des Mines. Les grands terrains plats de cette région conviennent parfaitement à leur technique agricole et leurs exploitations sont de plus en plus spécialisées. Les vastes prairies, qui ont donné leur nom à Grand-Pré, et les grands troupeaux de bovins deviennent leur principal moyen de subsistance.

2 Le conflit

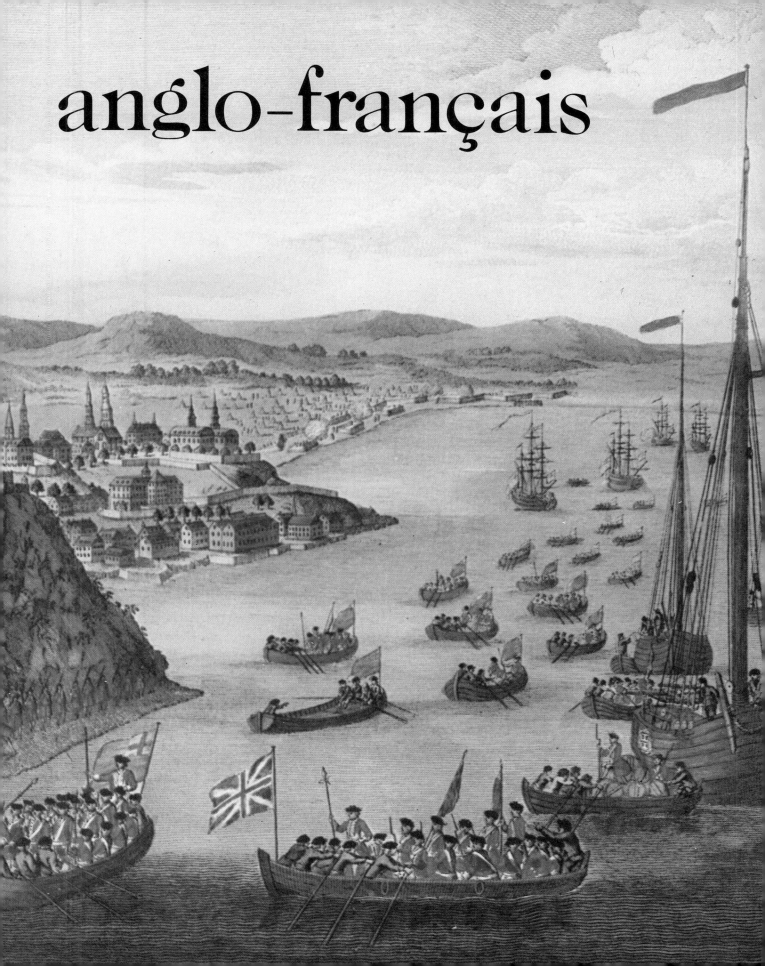

anglo-français

EN 1661, alors que le jeune roi Louis XIV amorce un long règne glorieux, la puissance de la France en Amérique du Nord semble menacée d'une éclipse totale. L'existence même de la Nouvelle-France est mise en péril par les Iroquois; les faibles colonies françaises en Acadie, Port-Royal et Saint-Jean, sont tombées aux mains du Commonwealth puritain. Depuis un demi-siècle, la monarchie française tente de bâtir à peu de frais un empire dans le Nouveau Monde en octroyant des chartes à des compagnies et des droits territoriaux à des particuliers. Cette politique parcimonieuse était vouée à l'échec dès ses débuts; Louis XIV, conseillé par un nouveau ministre influent, Jean-Baptiste Colbert, est cependant le premier à reconnaître l'inefficacité totale des moyens employés jusqu'alors en regard de si grandes visées. Désormais, il faut adopter une nouvelle politique pour créer l'empire occidental; l'État doit maîtriser, diriger et soutenir les établissements coloniaux, et les possessions françaises sur le Saint-Laurent, en Acadie, à Terre-Neuve et dans les Indes occidentales doivent être intégrées en une unité puissante et efficace.

En 1663, la Nouvelle-France devient une province royale sous l'autorité d'un gouverneur nommé par le roi, et c'est à son développement que la France consacre la plus grande partie de son attention et de ses efforts au cours des années qui suivent. Par ailleurs, un nouveau gouverneur, des soldats et des colons ont entrepris en 1662 la construction d'un établissement fortifié à Plaisance; et en 1670, dans le cadre d'un échange de territoires entre Louis XIV et Charles II d'Angleterre, l'Acadie est restituée à la France.

Dans la vallée du Saint-Laurent, la nouvelle administration procède à un déploiement impressionnant et rassurant de la puissance militaire française. Durant l'été de 1665, vingt-quatre compagnies de soldats réguliers, dont vingt appartenant au régiment de Carignan-Salières, débarquent à Québec. Leur mission est claire; il faut écraser les redoutables Iroquois. Depuis l'époque de Champlain, les Français, venus dans la région du Saint-Laurent pour faire la traite des fourrures, ont naturellement recherché et gardé l'amitié des Indiens chasseurs du Nord, et cela leur a inévi-

tablement valu la haine vivace des Iroquois, ennemis héréditaires des tribus de chasseurs. Pendant quinze ans, les petites colonies du Bas-Saint-Laurent ont été pillées et terrorisées par les Iroquois, particulièrement par les Agniers, une tribu de la confédération des Cinq Nations qui occupe le territoire le plus à l'est. Le chemin suivi par les guerriers indiens est une voie d'eau qui va du Saint-Laurent jusqu'à la côte atlantique et dont le rôle sera déterminant pour le cours de l'histoire du Canada. Le lac Champlain et la rivière Richelieu, qui remonte vers le nord jusqu'au Saint-Laurent, constituent la partie septentrionale de cette route; au sud, le fleuve Hudson, séparé du lac George et du lac Champlain par une bande de terre assez basse, franchit la barrière des Appalaches et descend jusqu'à l'ancienne petite colonie de la Nouvelle-Hollande sur la côte atlantique. Après avoir facilité les agressions tant du nord que du sud, cette voie d'eau est maintenant empruntée par le régiment de Carignan-Salières qui venge les attaques antérieures des Agniers et érige des fortifications pour prévenir leur renouvellement. Au cours de l'été 1665, les troupes construisent quatre forts le long du Richelieu, dont le deuxième, appelé d'abord fort Saint-Louis, sera baptisé ultérieurement fort Chambly en souvenir du capitaine Jacques de Chambly qui a dirigé les travaux de construction. En 1666, deux expéditions punitives dans le Sud permettent de pénétrer au coeur du territoire des Agniers, au-delà des lacs Champlain et George.

Les Iroquois, les premiers à se servir de la route fluviale contre les Français, ne sont en réalité que les prédécesseurs d'envahisseurs beaucoup plus constants et puissants, les Anglais. L'attaque lancée par Argall contre Port-Royal et la capture de Québec par les frères Kirke ont démontré très tôt que les Anglais n'ont pas l'intention d'assister passivement à l'implantation française dans le nord du continent; de fait, leurs attaques, jusqu'alors dispersées et sporadiques, deviennent organisées et constantes. La création d'une province royale française sur les rives du Saint-Laurent et l'arrivée du régiment de Carignan-Salières coïncident étroitement, du côté anglais, avec deux événements d'égale importance, au nord et au sud de la Nouvelle-France. En 1670, un groupe de marchands londoniens et d'influents aristocrates

•

PAGE PRÉCÉDENTE: *Québec, 1759. Sous le commandement de Wolfe, les hommes escaladent les Hauteurs d'Abraham afin de prendre les défenseurs par surprise. Leur victoire précipite l'effondrement d'un grand empire en Amérique et annonce l'avènement d'un nouvel empire.*

anglais, à l'instigation de deux traitants de fourrures français, Pierre Esprit Radisson et Médard Chouart, sieur des Groseilliers, fondent la Compagnie de la baie d'Hudson. En 1674, la Nouvelle-Hollande, prise en 1664 par les Anglais et rebaptisée New York puis perdue brièvement après neuf ans d'occupation, est conquise à nouveau et redevient colonie britannique. Dès lors, les Anglais contrôlent la partie sud de l'excellente voie fluviale entre le Saint-Laurent et l'Atlantique; petit à petit, les Iroquois, qui conserveront pendant encore vingt ans leur redoutable supériorité tactique en pratiquant la guerre de surprise, deviennent les clients et les auxiliaires de la colonie de New York dont la puissance s'annonce bien supérieure à celle de la colonie française.

Au cours des années 1680, les Français des bords du Saint-Laurent prennent vite conscience de ces empiétements et s'irritent de plus en plus des pressions britanniques. Sous la direction de gouverneurs combatifs comme Denonville et Frontenac, ils attaquent les Iroquois au sud et les postes de traite septentrionaux de la Compagnie de la baie d'Hudson dans la baie James. Les hostilités sont déclenchées en Amérique du Nord alors que l'Europe connaît encore la paix. Cependant, la Révolution de 1688 et l'accession de Guillaume III au trône d'Angleterre en 1689 entraînent l'Angleterre et la France dans un conflit ouvert, ce qui accroît la portée et l'ampleur de la guerre des frontières au Nouveau Monde. Face à la gravité soudaine du conflit, chaque partie adopte les mesures tactiques et les plans stratégiques qui correspondent le mieux à son génie propre et elle les appliquera jusqu'au dénouement, pour le meilleur ou pour le pire. Depuis des années, les Français se rendent compte que la capture de New York leur assurerait la maîtrise de la deuxième route fluviale vers l'intérieur; déjà maîtres du Saint-Laurent, ils consolideraient ainsi leur emprise sur le Nord-Est; mais en 1689, ils ne disposent pas des forces nécessaires pour entreprendre, par mer ou par terre, les audacieuses opérations qui les mèneraient à la victoire. En dernière ressource, Frontenac doit organiser des incursions rapides de caractère essentiellement défensif contre les villages frontaliers de New York et de la Nouvelle-Angleterre.

Ce sont les Anglais qui lancent une vaste offensive et tentent pour la première fois de réali-

«Il m'est arrivé de voir des hommes pleurer de douleur lorsque le mal de raquette leur infligeait de véritables tortures», écrivait un observateur de l'époque. La raquette fait néanmoins partie de l'équipement indispensable à la «petite guerre» dans un milieu souvent hostile.

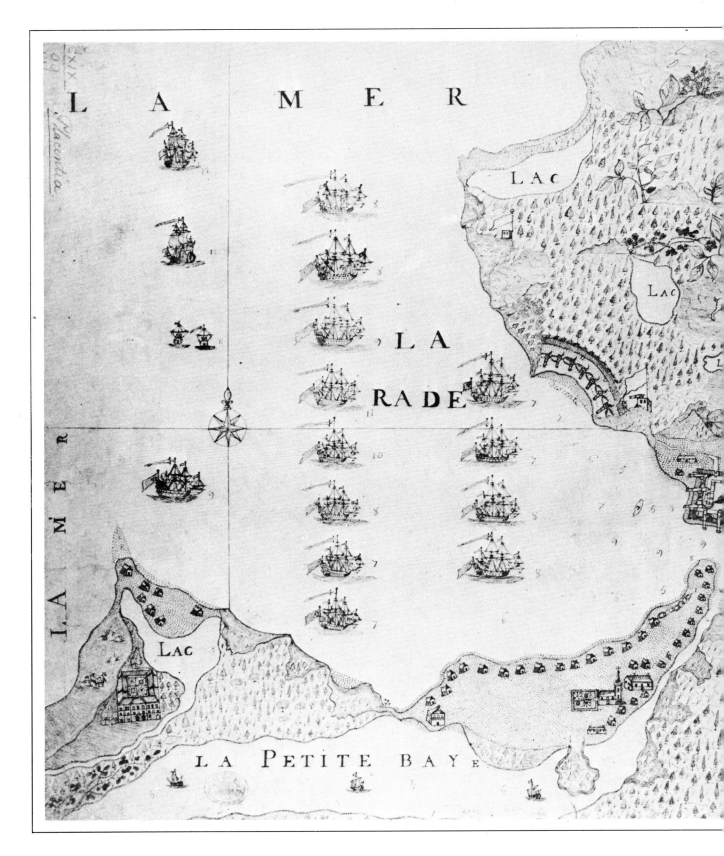

Carte de Plaisance dressée par Michel de Monségur, en 1708. Elle montre nettement la disposition des canons du

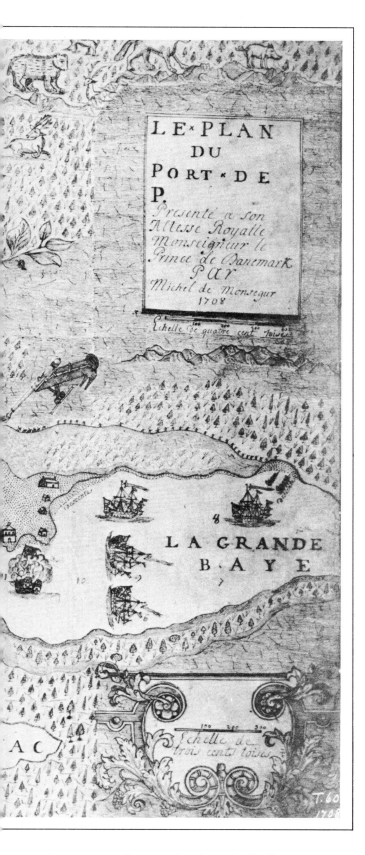

ser le grand plan stratégique qui, près de soixante-dix ans plus tard, entraînera la chute de la Nouvelle-France. Une armée de terre doit se diriger vers le nord par la rivière Richelieu et se joindre à une expédition navale lancée contre l'Acadie et Québec. L'exécution de ce plan audacieux se solde par un échec déshonorant. L'armée rassemblée à la tête du lac Champlain ne parvient pas à se mettre en route, et Sir William Phips, qui a capturé Port-Royal sans difficulté au printemps de 1690, abandonne le siège de Québec à la fin du mois d'octobre, après une semaine de vains efforts. Cet échec met fin aux grandes offensives sur le continent. En 1692, la défaite de la Hougue donne le coup de grâce à la tentative de Richelieu et de Colbert de défier la suprématie de la flotte britannique.

La guerre se transforme en une suite de raids, d'escarmouches et d'attaques surprises qui ne visent point le coeur des empires anglais et français, mais plutôt leurs régions frontalières et leurs possessions isolées. Pour les Canadiens, il s'agit de la «petite guerre» sur terre et de la «guerre de course» sur mer; souvent, ces deux types d'affrontement se combinent dans des opérations surprises le long de la côte, à Port-Royal et Saint-Jean en Acadie, ainsi qu'à Plaisance et Saint-Jean à Terre-Neuve. À Saint-Jean de Terre-Neuve, des batteries protègent l'entrée du port, notamment celles de Chain Rock du côté nord, tandis que le petit fort William domine la mer sur le flanc ouest du village. La petite colonie de Plaisance est d'abord protégée par un fort et une palissade peu résistants, mais à partir de 1687, les Français améliorent régulièrement les ouvrages de défense tant du côté nord, qui donne sur le goulet du port, que du côté sud, où se trouve le village lui-même. Le fort Louis, place forte à quatre bastions, est érigé au niveau de la mer sur la rive nord du goulet en 1692; au cours de cette même année, les Français tirent profit, pour la première fois, de la grande colline qui s'élève au-dessus de la nouvelle fortification. Ils y bâtissent la redoute La Gaillardin sur l'arête surplombant le fort Louis; trois ans plus tard, un nouveau fort en pierre, appelé fort Royal par les Français et le Château par les Anglais, érigé sur une éminence un peu à l'ouest de La Gaillardin, domine complètement l'accès du port. Plaisance tombe aux mains d'une bande de

fort Louis, du fort Royal et de La Gaillardin.

pirates anglais en 1690, mais en 1692, la colonie parvient à refouler l'attaque d'une escadre britannique et se sent désormais assez forte pour passer à l'offensive.

La «petite guerre» et la «guerre de course» ont un caractère furtif, rapide et sauvage. Méthodes de combat de choix des Canadiens, elles traduisent bien la personnalité de Pierre Lemoyne, sieur d'Iberville, ce combattant invincible et présent sur tous les théâtres d'opérations; en une seule campagne fabuleuse menée en 1696, il réussit à capturer la base britannique à l'embouchure du Penobscot, à prendre et à détruire Saint-Jean et la plupart des autres villages de pêche de Terre-Neuve, et enfin à vaincre, à bord de son vaisseau *Le Pélican*, un bâtiment de guerre anglais et deux navires marchands dans la baie d'Hudson.

Si la Paix de Ryswick de 1697 avait réellement mis fin au conflit anglo-français, les possessions territoriales de la France en Amérique du Nord auraient connu une expansion considérable. Mais Ryswick n'est rien de plus qu'une pause instable, rapidement interrompue par l'éclatement d'un différend sur la succession d'Espagne, qui rallume la guerre à la fois en Europe et dans le Nouveau Monde. Par deux fois, les Anglais tentent d'exécuter leur grande stratégie sur deux fronts: une attaque terrestre par la vallée du Richelieu et une invasion navale par le Saint-Laurent; mais ces poussées vers le coeur des possessions françaises échouent. À deux reprises, une armée coloniale attend à la tête du lac Champlain de jouer son rôle dans le plan d'attaque. En 1709, l'escadre anglaise est détournée vers un port européen et, en 1711, une flotte beaucoup plus puissante se trouve sérieusement handicapée par la perte de ses navires de transport dans le Saint-Laurent et décide de rebrousser chemin. Le grand plan d'invasion se solde par un double échec; malgré tout, il a été bien près d'aboutir et les Français, moins bien protégés que du temps de l'expédition de Phips, vingt ans auparavant, craignent le pire. Certes, Québec demeure une puissante place forte, mais la route de la rivière Richelieu reste sans défense depuis l'incendie des installations en bois du fort Chambly en 1702. Les Français décident de colmater cette brèche dangereuse dans leur système de défense et construisent un nouveau fort en pierre sur les bords du bassin Chambly en 1709, l'année de la première invasion anglaise. Il s'agit d'un bâtiment carré avec un immense bastion à chaque angle et des murs épais, perpendiculaires au sol, sans rem-

1724, le fort Chambly en temps de paix; c'est une fortification massive au coeur

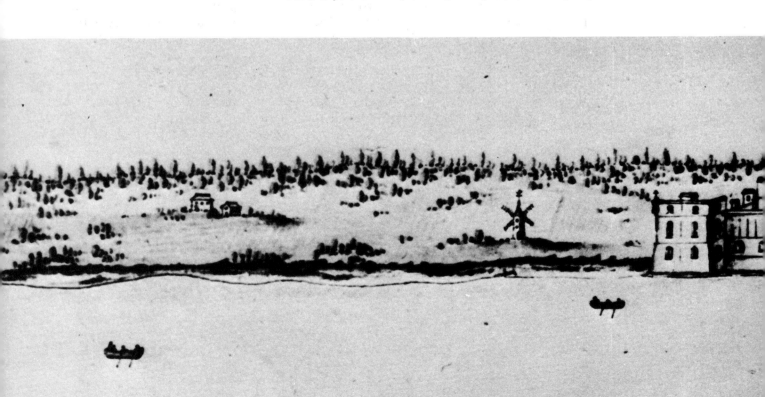

blais ni fossés. À une époque où l'ingénieur militaire français Vauban a mis au point des ouvrages de défense très perfectionnés contre la nouvelle artillerie lourde, le fort Chambly présente l'aspect curieusement désuet d'un château médiéval.

Deux ans plus tard, la guerre se termine sans autre offensive d'importance. Entre-temps, chaque partie s'est lancée, sans éclat mais avec persistance, dans la petite guerre. Les Français ne parviennent pas à s'emparer du fort anglais à l'embouchure du fleuve Albany, mais détiennent tous les autres postes de la baie d'Hudson. À deux reprises, en 1705 et en 1708, les gouverneurs de Plaisance renouvellent l'attaque dévastatrice de d'Iberville contre Saint-Jean à Terre-Neuve. Depuis 1696, les batteries des deux côtés de l'entrée du port ont été restaurées et le fort William a été reconstruit en pierre; en 1705, le fort résiste à un long siège, mais le village est pris et pillé et, en 1708, le village ainsi que le fort sont contraints à la reddition. Le pillage des villages de la côte et de l'intérieur de la Nouvelle-Angleterre se poursuit à partir de Québec et de l'Acadie. Port-Royal résiste à deux expéditions punitives organisées par la Nouvelle-Angleterre, mais finit par tomber en 1710. C'est la seule victoire anglaise importante

de toute la guerre. Dans l'ensemble, ce sont les Français qui connaissent le plus de succès. Mais la guerre de la Succession d'Espagne ne peut se gagner par des attaques contre les villages frontaliers d'Amérique; elle est perdue par des batailles comme celles de Blenheim, Ramillies et Oudenarde, et la France doit payer sa défaite sur le continent par des concessions dans le Nouveau Monde. En vertu du traité d'Utrecht, elle cède la quasi-totalité de Terre-Neuve, l'Acadie «en ses anciennes limites», ainsi que toutes les conquêtes de d'Iberville dans la baie d'Hudson. Il ne reste des possessions françaises de l'Atlantique Nord que l'île Royale (le Cap-Breton), l'île Saint-Jean (l'île du Prince-Édouard) et certains droits de pêche sur la côte septentrionale de Terre-Neuve.

de l'Empire continental de la France.

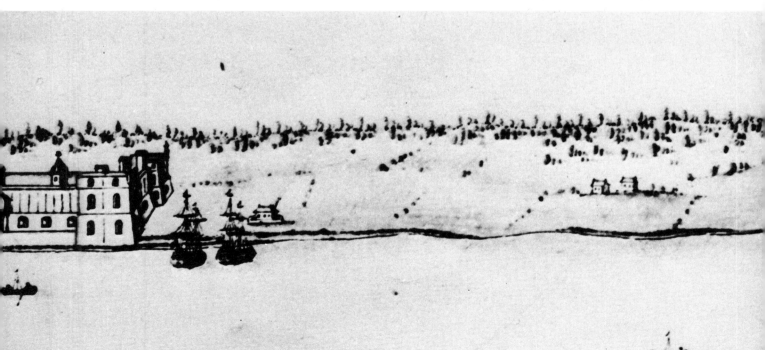

LES PERTES subies par la France sont lourdes sans être irréparables. Elle possède encore Québec et Montréal et, en 1718, elle fonde La Nouvelle-Orléans, capitale de la nouvelle colonie de la Louisiane. Son empire, grâce aux deux réseaux fluviaux véritablement continentaux de l'Amérique du Nord, s'étend de façon presque ininterrompue le long des voies d'eau entre le golfe Saint-Laurent et le golfe du Mexique. C'est un immense pays mais sans cohésion, peu peuplé, en grande partie inoccupé et inexploité, relié par quelques forts et postes de traite; le cours naturel de son expansion vers l'intérieur se trouve désormais quelque peu entravé.

De chaque côté, la Nouvelle-France est contrainte d'accepter la présence de deux puissants rivaux dont elle ne peut éviter la concurrence et l'antagonisme. Au nord-ouest, la Compagnie de la baie d'Hudson, nantie de droits exclusifs; au sud et au sud-ouest, les colonies anglaises de New York, Pennsylvanie et Virginie ainsi que les Iroquois, désormais protégés par la couronne britannique en vertu du traité d'Utrecht. Des empiétements sérieux sur l'un ou l'autre de ces deux fronts, ou les deux en même temps, risquent d'entraver, voire de stopper le développement naturel de l'empire français vers l'ouest. Pendant les quarante années qui vont suivre, sa politique est de résister à ces dangereuses pressions ou de les éviter. En établissant une chaîne de postes de traite du lac de la Pluie jusqu'aux forts de la rivière Saskatchewan, les Français réussissent à drainer les approvisionnements en fourrures de la Compagnie de la baie d'Hudson. En fondant les forts Niagara et Detroit et en cultivant l'amitié de leurs vieux ennemis les Iroquois, ils tentent également de conserver leur emprise sur le secteur inférieur des Grands Lacs et de contenir l'avance des colonies anglaises vers le nord.

Il est certes important de protéger les intérêts français dans l'intérieur du pays, mais il l'est infiniment plus de défendre les voies de communication qui relient la Nouvelle-France à la mère patrie. La prospérité, voire l'existence même des forts et des postes de traite dans l'ouest de l'empire dépend en fin de compte de la sécurité du Saint-Laurent. Comme toujours, cette voie de

Le fort Chambly, dont les hautes et épaisses murailles de pierre lui confèrent l'allure d'un château médiéval, fut parfois utilisé par les Britanniques, même au XIXᵉ siècle. EN MÉDAILLON: *La cour aujourd'hui.*

Imposante et apparemment imprenable, la forteresse de Louisbourg devait assurer la défense de l'embouchure du Saint-Laurent. Attaquée par deux fois, elle tombe à deux reprises aux mains des Anglais.

transport demeure vulnérable à une invasion venue du golfe ou de l'Hudson et du lac Champlain; aussi, durant le quart de siècle qui suit le traité d'Utrecht, les Français consacrent-ils le gros de leurs efforts au renforcement des barrières destinées à protéger les voies d'accès au coeur de leur empire. Dès lors, le fort Chambly, à mi-chemin sur la rivière Richelieu, est simplement considéré comme partie des défenses intérieures de la Nouvelle-France. Fermement résolus à étendre leur flanc gauche plus au sud, les Français entreprennent la construction d'un nouveau fort près de la tête du lac Champlain, qu'ils nomment Saint-Frédéric. Érigé d'abord en bois avec une simple palissade, ce fort sera reconstruit ultérieurement en pierre.

Bien qu'il soit nécessaire de parer les attaques faciles par la route de l'Hudson, la protection de la porte principale de la Nouvelle-France, le golfe Saint-Laurent, demeure primordiale. Les puissants ports de Plaisance et de Port-Royal ont fait de

Terre-Neuve et de l'Acadie les principaux bastions du système de défense du Saint-Laurent. Leur perte met en péril la sécurité des voies maritimes qui seules rattachent la Nouvelle-France à l'Europe et assurent sa survie. Les Français se voient refoulés dans le golfe, dernier retranchement possible. C'est donc là qu'ils protégeront l'entrée du Saint-Laurent en établissant de fortes défenses. Ainsi naît Louisbourg, le deuxième ouvrage français en importance de l'Amérique du Nord, une forteresse immense, complexe et coûteuse, dont la présence semble insolite sur la côte dénudée et hostile de la pointe sud-est de l'île Royale.

Louisbourg s'élève à l'extrémité sud-ouest d'un magnifique port toujours libre de glace, d'environ deux milles de longueur, presque encerclé par deux longues péninsules et protégé en outre par une petite île située à l'entrée. Tandis que le fort Chambly évoque la force massive et lugubre d'un château médiéval, Louisbourg est la grandiose expression de la splendeur, de la puissance

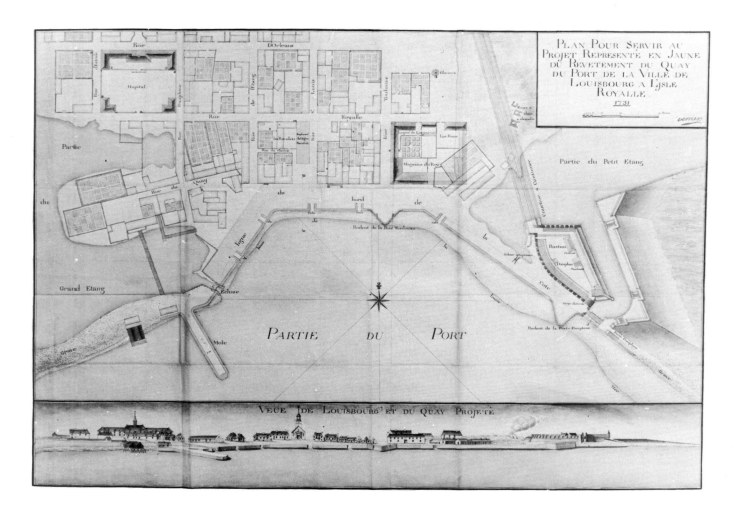

Plan Pour Servir au Projet Represente en Jaune du Revetement du Quay du Port de la Ville de Louisbourg à l'Isle Royalle 1731

VEUE DE LOUISBOURG ET DU QUAY PROJETÉ

Préoccupé par le coût astronomique de Louisbourg, Louis XV se serait exclamé qu'il s'attendait à voir les murs de Louisbourg poindre à l'horizon en se réveillant un matin à Versailles. Comme l'indiquent ces dessins de 1731, Louisbourg était déjà une agglomération ordonnée de style européen. AU VERSO: La côte inhospitalière avec la citadelle à l'arrière-plan.

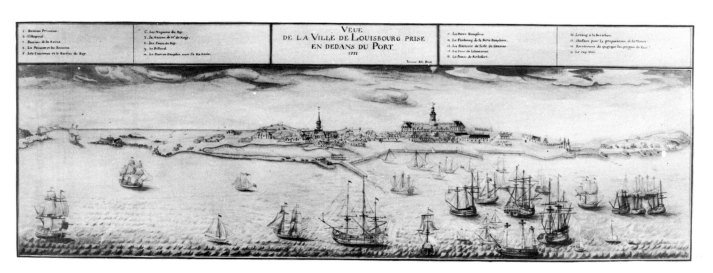

VEUE DE LA VILLE DE LOUISBOURG PRISE EN DEDANS DU PORT 1731

Plaisance sous le régime britannique. Une vue de 1749 (ci-dessous) indique les rajouts aux ouvrages de défense des Français. CI-DESSUS: *Près de quarante ans plus tard, le «nouveau fort» est encore inachevé.*

militaire et du génie technique de l'ère de Louis XIV. Le quai, orienté nord-est, est protégé par un bastion et deux grosses batteries, dont l'une se trouve sur l'île à l'entrée du port et l'autre, la Batterie royale, sur la rive nord. Du côté des terres, un mur protecteur de trente pieds de hauteur et quatre énormes bastions de pierre dominent un large fossé, un glacis et un terrain marécageux exposé au tir des canons des remparts. Conçue par des experts, la forteresse de Louisbourg est un ouvrage redoutable, mais non sans de graves imperfections qui résultent aussi bien de négligences que d'erreurs. La pointe de la péninsule orientale ou pointe du Phare n'est pas fortifiée et, du côté des terres, des collines surplombent le bastion nord. Comble de négligence, la Batterie royale, isolée sur la rive nord du port, ne peut offrir aucune protection contre une attaque terrestre lancée des hautes terres à l'arrière, car tous ses canons sont dirigés sur l'entrée du port.

Les Français, talonnés par des défaites et une reddition forcée, déploient toute leur énergie. Quant aux Anglais, vainqueurs d'une longue lutte difficile, ils ne semblent guère savoir quoi faire de leurs nouvelles possessions et les traitent avec négligence ou indifférence. Ils s'installent à Port-

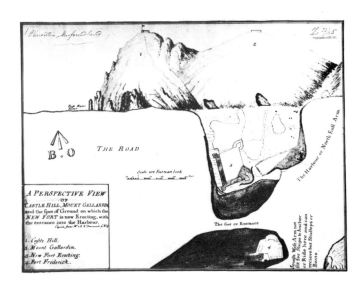

Royal, rebaptisé Annapolis Royal après sa chute en 1710. Au printemps de 1714, ils occupent Plaisance qui, pendant les trente années qui vont suivre, deviendra pratiquement la «capitale» britannique de Terre-Neuve. Alors que les fortifications de Saint-Jean tombent en ruine, un nouveau fort, nommé Frédéric en l'honneur du Prince de Galles, est construit du côté sud du goulet de Plaisance. Du

La reconstruction de la forteresse a demandé des années de recherche et fait appel à des centaines d'artisans qui ont redécouvert d'anciennes techniques.

La chambre du gouverneur du Château de Louisbourg reflète un peu la splendeur de la cour du «Roi-Soleil».

côté nord, à l'emplacement de l'ancien fort Louis, les travaux de construction d'un autre fort sont commencés, mais resteront inachevés.

Ces signes évidents d'un changement de souveraineté n'impliquent nullement l'instauration d'un régime véritablement nouveau. Les Britanniques n'élaborent aucune politique novatrice pour les terres maritimes acquises par traité. La situation sur la péninsule et dans l'île reste sensiblement la même qu'avant et aucune grande vague d'immigration de Grande-Bretagne ou de Nouvelle-Angleterre ne vient la changer. Plaisance et Canseau, à l'extrémité nord-est de la Nouvelle-Écosse, sont des ports de pêche peu peuplés; Annapolis Royal n'est qu'une petite colonie possédant un fort délabré, le fort Anne, où résident le gouverneur et une poignée de soldats inactifs et mourant d'ennui. En dehors de ces endroits, on ne trouve pratiquement pas d'Anglais en Nouvelle-Écosse. Ses seuls véritables habitants sont deux ou trois mille Acadiens francophones qui ont remonté la côte sud de la baie de Fundy, au-delà du bassin des Mines, et se sont établis jusque dans l'isthme de Chignectou. Le traité d'Utrecht leur a donné le droit d'émigrer avec leurs biens sur l'île Royale ou île Saint-Jean, mais ils refusent de troquer leur vie paisible d'agriculteurs sur les bords de la baie de Fundy contre un avenir incertain et les rigueurs de la vie de pionniers dans les îles du golfe. Ainsi, ils

Débarquement de troupes de la Nouvelle-Angleterre à Louisbourg, en 1745. Cette victoire est annulée par le traité d'Aix-la-Chapelle et la forteresse restituée momentanément aux Français.

Les canons du fort Anne protègent le confluent des rivières Annapolis et Allain. Les ouvrages de défense à l'arrière du fort sont moins efficaces.

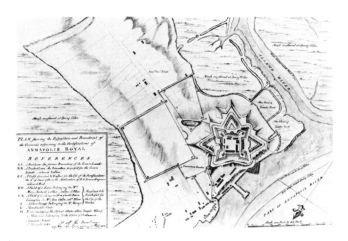

Les travaux de terrassement sont entrepris dans les années 1690 par les Français, puis élargis par les Anglais à la suite d'attaques fréquentes. Ce plan de 1763 montre les fortifications entièrement achevées.

déclinent l'invitation de redevenir sujets du roi de France, tout en refusant de prêter serment d'allégeance à leur nouveau roi, le roi d'Angleterre. L'île Royale et l'île Saint-Jean sont presque inhabitées, tandis que la Nouvelle-Écosse est peuplée de sujets neutres. Louisbourg et Annapolis exercent tous deux, pour des raisons très différentes, une souveraineté fictive. Les Acadiens, tant par leur immobilisme que par leur neutralité obstinée, expriment l'ambiguïté du présent et l'incertitude de l'avenir dans les zones maritimes.

En 1744, avec la reprise de la guerre entre la France et l'Angleterre, qui implique une fois encore leurs colonies nord-américaines, il semble que ces ambiguïtés et incertitudes vont rapidement disparaître. De Louisbourg, les Français font marche sur Canseau, pratiquement inoccupé, mais une attaque par terre et par mer contre Annapolis Royal échoue lamentablement. Ce sont les Anglais, résolus et impatients, qui prennent ensuite l'initiative. Ils sont fermement déterminés à prendre Louisbourg. Parce qu'elle abrite des pêcheurs

Le quartier des officiers, aménagé en 1797 dans le cadre d'une rénovation complète, a été reconstruit et transformé en musée.

qui leur font concurrence et sert de refuge aux corsaires, la forteresse est devenue pour eux une source bien plus grande de crainte et de haine que ne l'a jamais été Port-Royal. Sans attendre le soutien des troupes britanniques régulières, les principales colonies de la Nouvelle-Angleterre réunissent une armée coloniale d'environ 4 000 miliciens ainsi qu'une petite flotte armée. Le 11 mai 1745 au matin, cette redoutable armada provinciale, escortée par le commodore Peter Warren et quatre vaisseaux de guerre anglais, apparaît au large de la côte de la baie Gabarus, à deux milles seulement de Louisbourg. Les graves défauts du système de défense du «Dunkerque de l'Amérique» se révèlent d'emblée. Aucune tentative n'ayant été faite pour fortifier la côte de la baie Gabarus, le corps expéditionnaire de la Nouvelle-Angleterre occupe ce point de débarquement sans pratiquement rencontrer de résistance. Craignant que l'armée anglaise n'attaque ses arrières plutôt que la forteresse principale, le commandant de la Batterie royale abandonne sa position avec une hâte irré-

fléchie, sans même enclouer ses canons. Les attaquants les hissent sur les collines ouest qui surplombent la forteresse et les pointent sur la ville même qu'ils étaient censés protéger. Warren bloque le port et capture un des deux vaisseaux français envoyés au secours de la garnison assiégée. Une attaque nocturne contre l'île et ses puissantes batteries se solde par un lamentable échec; les assaillants prennent alors rapidement conscience des possibilités inexploitées qu'offre la péninsule inoccupée du nord-est; de la pointe du Phare, ils se mettent à pilonner impitoyablement la batterie de l'île. Cette position d'une importance cruciale est rapidement enlevée. Le 28 juin, le gouverneur français est contraint à la reddition, six semaines après le débarquement dans la baie Gabarus.

En 1746, une ambitieuse expédition française sur terre et sur mer, conçue dans le but de reprendre Louisbourg, connaît une suite ininterrompue de désastres. Lorsque la Paix d'Aix-la-Chapelle met fin à la guerre deux ans plus tard, les Français

L'emplacement du fort Beauséjour, construit par les Français sur l'isthme de Chignectou.

obtiennent plus de succès à la table des négociations que sur le théâtre des opérations. À la vive consternation de la Nouvelle-Angleterre, Louisbourg est restitué à la France! Une paix fondée sur une décision aussi scandaleuse et incompréhensible ne peut manifestement être qu'une trêve temporaire! Des deux côtés, avec un renouveau d'espoir chez les Français et une violente détermination chez les Anglais, on se prépare activement à la reprise des combats.

Dans les territoires éloignés de l'Ouest, tout comme dans la région atlantique, l'imminence d'un dénouement se fait de plus en plus sentir. Au-delà des Appalaches et au sud du bassin inférieur des Grands Lacs, les traitants, les pionniers et les spéculateurs fonciers de New York, de Pennsylvanie et de Virginie pénètrent résolument dans le vaste et riche pays de l'Ohio, ou «Belle Rivière». Pour les Français, l'Ohio est un maillon indispensable dans la longue chaîne de communications entre Québec et La Nouvelle-Orléans. Ils doivent à tout prix en conserver la maîtrise; comme le fort

Niagara est trop éloigné pour servir ce dessein, ils décident à contrecoeur de pousser plus loin vers l'intérieur, en amont du lac Erié. Avec le fort Presqu'Ile, sur la rive sud du lac, et le fort Le Boeuf, ils s'assurent l'accès au territoire disputé; en 1754, ils bâtissent le fort Duquesne au confluent des rivières Allegheny et Monongahela qui forment l'Ohio.

Sur la côte atlantique, il est également manifeste que l'avant-dernière étape du long conflit anglo-français est proche. En 1749, un an seulement après la signature du traité d'Aix-la-Chapelle, les Anglais fondent une base navale et une colonie dans le port de Chibouctou, l'endroit même où les restes de la grande expédition navale française de 1746 ont trouvé refuge. La fondation de Halifax amorce lentement en Nouvelle-Écosse un nouveau programme d'amélioration des défenses et d'immigration anglaise, ce qui laisse présager inévitablement une situation difficile pour les Acadiens. Jusqu'à maintenant, Annapolis Royal n'a exercé qu'un minimum d'autorité sur une colonie carac-

Les visiteurs d'aujourd'hui peuvent encore discerner la forme pentagonale de l'ancien fort Beauséjour et examiner les résultats des récentes excavations.

térisée surtout par ses loyautés partagées et ses limites imprécises. Désormais, une délimitation nette et précise des frontières s'impose aux Anglais comme aux Français. Ces derniers ont toujours soutenu que l'Acadie «conforme à ses anciennes limites» ne désigne que la péninsule de la Nouvelle-Écosse; lorsqu'ils apprennent, peu après la signature du traité, que les Anglais projettent de faire valoir leurs droits sur Saint-Jean et le territoire au nord de la baie de Fundy, ils passent à l'action sans plus tarder afin de contrecarrer ces plans. Une petite force d'occupation française s'établit à l'embouchure du fleuve Saint-Jean tandis qu'une autre, plus importante, s'installe sur une crête, un peu à l'ouest de la rivière Missiquash, dans l'isthme de Chignectou. Leurs menaces restant sans effet, les autorités britanniques hésitent à défier par une attaque armée la résistance passive mais résolue des Français. Ils optent pour une démonstration de force et construisent un poste fortifié, le fort Lawrence, sur les hauteurs à l'est de la petite rivière Missiquash.

L'année suivante, en 1751, les Français ripostent. Pour protéger leur importante voie de communication entre le fleuve Saint-Jean et les îles Royale et Saint-Jean, ils décident de construire deux postes, un de chaque côté de l'isthme de Chignectou. Le fort Gaspareaux, qui domine la baie Verte et le détroit de Northumberland, est doté d'une palissade en bois pouvant résister au tir des mousquets, mais non à celui d'un canon. Quant au fort Beauséjour, en pierre et de forme pentagonale, il comporte cinq bastions conçus pour l'artillerie lourde, un fossé et, sur quatre de ses cinq flancs, des voies d'accès en pente douce.

EN 1755, à la veille de l'éclatement de la guerre de Sept Ans, le réseau de défense français en Amérique du Nord compte quatre points stratégiques. Louisbourg garde l'entrée du Saint-Laurent; Gaspareaux et Beauséjour retiennent les Britanniques dans la péninsule de la Nouvelle-Écosse; Chambly et Saint-Frédéric surveillent les «nations des guerriers» et la route fluviale du lac Champlain et de la rivière Richelieu; enfin, les forts Niagara, Le Boeuf et Duquesne défendent les intérêts français dans l'Ouest. Cette ligne de bataille très étendue et ambitieuse doit être maintenue par une population vingt fois plus petite que celle des colonies britanniques et défendue par une mère patrie qui, malgré sa grande puissance militaire, ne dispose pas d'une force navale suffisante pour assurer des communications sûres et permanentes avec ses colonies d'Amérique. Les Français se trouvent dans l'impossibilité absolue d'entreprendre la vaste offensive qui seule pourrait concrétiser leurs grandioses ambitions territoriales. Rêvant de conquêtes, ils n'en sont pas moins contraints à une lutte pour la survie et n'ignorent pas quels sont les points clés de leur réseau de défense. Peut-être peuvent-ils se permettre d'abandonner les forts Duquesne et Chignectou, mais ils doivent à tout prix conserver Louisbourg, Chambly et Saint-Frédéric. Ces trois forts ne semblent pas inexpugnables. Louisbourg a déjà été capturé sans grande résistance; Chambly, qui n'est désormais gardé que par une poignée de soldats, sert avant tout d'entrepôt pour Saint-Frédéric, et, à en croire les rapports pessimistes de l'époque, les murs de Saint-Frédéric sont tellement minces qu'ils risquent de s'effondrer à la première canonnade.

La phase préliminaire du conflit est terminée; voici l'heure de l'engagement décisif déclenché par un affrontement entre les Français et les habitants de la Virginie dans la vallée de l'Ohio. La Grande-Bretagne et la France, qui ne sont pas encore officiellement en guerre, ressemblent aux acteurs d'un drame qui attendent dans les coulisses le moment d'entrer en scène. Toutes deux dépêchent en Amérique du Nord un officier supérieur à la tête de contingents de soldats réguliers. Malgré l'importance des rôles joués par le baron français Dieskau et le général de brigade anglais Edward Braddock lors des opérations de 1755, le gros du fardeau de la campagne est assumé par les colons français et anglais. Des attaques conjointes de la milice coloniale anglaise et de troupes britanniques régulières contre les quatre fronts du système de défense français ont des résultats incontestablement mitigés. Les Français remportent des victoires dans l'Ouest, là où elles importent le moins. Près de la rivière Monongahela, une force frontalière typique composée de Canadiens français prend en embuscade et détruit la petite armée de Braddock, ce qui semble prouver l'efficacité de la «petite guerre». Le fort Duquesne est sauvé et les Anglais renoncent à attaquer le fort Niagara. Si les Français se montrent capables de relever les défis dans l'Ouest, ils ne remportent dans l'Est, par contre, qu'une victoire mitigée et subissent une lourde défaite. Au prix d'un revers tactique, Dieskau stoppe l'avance de William Johnson contre le fort Saint-Frédéric; en revanche, une force combinée de miliciens et de soldats réguliers, dirigée par le général de brigade Robert Monckton et le colonel John Winslow, arrache la capitulation des forts Beauséjour et Gaspareaux.

Au printemps de 1756, la déclaration de guerre officielle entre la France et l'Angleterre vient transformer profondément le caractère du conflit anglo-français en Amérique du Nord. L'époque des forces coloniales, des commandants amateurs, des objectifs stratégiques limités et de la «petite guerre» est désormais révolue. C'est maintenant l'entrée en scène des armées de métier — troupes régulières britanniques et troupes de terre françaises — dirigées par des officiers professionnels dont l'objectif stratégique est d'anéantir l'adversaire. Dans l'Empire britannique, où le haut commandement est une fonction royale exercée à Londres, la pleine signification de ce changement se fait sentir très rapidement; mais en Nouvelle-France, où le commandant en chef est subordonné au gouverneur, les répercussions sont moindres. Le marquis Louis-Joseph de Montcalm, qui succède à Dieskau en 1756 au poste de commandant suprême des forces françaises, est probablement le meilleur général de la guerre de Sept Ans en Amérique du Nord; toutefois, ses actions sont constamment critiquées, vérifiées et contrées par le gouverneur, le marquis de Vaudreuil. Canadien de naissance, élevé dans la tradition de la «petite guerre», Vau-

Croquis du fort Beauséjour, dessiné par un officier britannique peu après la capitulation.

Les archéologues se sont inspirés de ce plan français détaillé du fort pour déterminer l'emplacement initial des ouvrages.

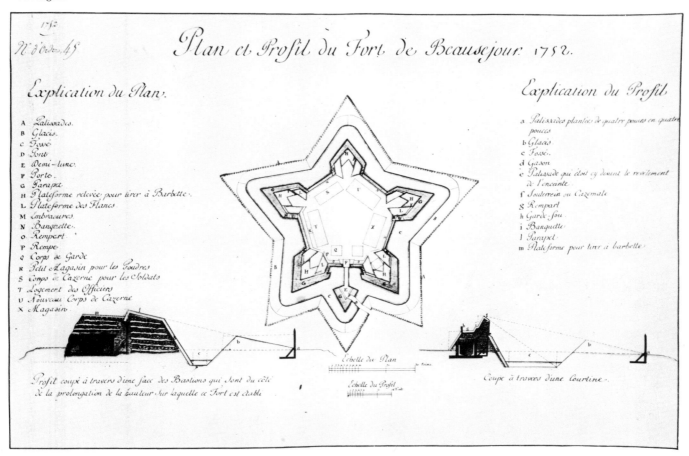

Vue de Rocky Point, site de Port La Joye, première colonie de l'île du Prince-Édouard, et ultérieurement du fort Amherst sous le Régime anglais. À DROITE: *les travaux de terrassement sont les seuls vestiges permettant de repérer l'emplacement du fort.*

dreuil compte sur la milice et les troupes de la Marine en poste dans la colonie et accorde une importance capitale au maintien de l'empire français dans les lointaines régions de l'Ouest. Son premier objectif militaire est la prise du fort Oswego, poste anglais sur la rive sud du lac Ontario, qui prive la France de l'hégémonie, vitale selon Vaudreuil, du bassin inférieur des Grands Lacs. Montcalm intervient pour la première fois dans la guerre en Amérique du Nord à l'été de 1756, en dirigeant une expédition victorieuse contre Oswego.

La capitulation de ce poste de l'Ouest apporte un regain d'espoir aux Français qui se sont emparés de prisonniers, d'armes et de butin mais, chose surprenante, elle n'influera guère sur le dénouement de la lutte. Les Anglais, sur le point de passer à l'offensive, sont résolus à déplacer le centre des opérations à l'est, là où les Français sont plus vulnérables. En Acadie, la prise des forts Beauséjour et Gaspareaux est suivie de l'expulsion des Acadiens. La France ne peut donc plus compter ni sur ses installations militaires, ni sur l'appui de la population pour reprendre la côte atlantique. Louisbourg, que son tragique isolement rend vulnérable, se retrouve seul dans le golfe Saint-Laurent face à l'envahisseur. À moins de renforcer la forteresse elle-même, il est impossible d'améliorer la défense de la voie d'accès au Canada par la

mer, et les Français se voient inévitablement contraints de concentrer leurs derniers efforts défensifs sur cette autre route d'invasion que constituent le lac Champlain et la rivière Richelieu. Les Anglais, conscients que cette route bien connue peut servir dans les deux sens, ont déjà construit le fort Edward sur le Haut-Hudson et le fort William Henry à la tête du lac George. Pour faire pendant à ces deux bastions frontaliers, les Français érigent le fort Carillon, complément indispensable à la défense du fort Saint-Frédéric, sur la rive sud du lac George.

Les deux systèmes de défense se font face, à faible distance l'un de l'autre. Partisan d'une stratégie essentiellement défensive, Montcalm ne perd cependant jamais une occasion de prendre l'offensive et utilise tous les moyens à sa disposition. Au cours de l'été 1757, alors que les Anglais concentrent manifestement leurs forces sur la côte atlantique, Montcalm rassemble son armée hétérogène, composée de troupes de terre, de troupes régulières coloniales, de miliciens et d'Indiens, et s'empare du fort William Henry. Bien qu'il ne réussisse pas à compléter ce coup audacieux par la prise du fort Edward, la campagne de 1757 est sa deuxième grande victoire et il la doit en grande partie à ses qualités de chef. Néanmoins, il ne faut pas oublier que les Anglais ont délibérément affaibli leurs défenses sur l'Hudson afin de concentrer leur action sur la côte atlantique, et cette importante décision augure bien mal pour l'avenir de la Nouvelle-France. Leur objectif n'est pas la capture des forts français sur les bords du lac Champlain, mais une vaste expédition par terre et par mer contre Louisbourg qui leur ouvrira la route maritime de Québec. Le rassemblement des forces navales et terrestres prévu à Halifax en 1757 n'a pas lieu, mais l'attaque contre Louisbourg figure comme le principal objectif de la campagne britannique de 1758. Cette attaque doit s'accompagner d'un mouvement de troupes le long de la route du lac Champlain, tandis qu'à l'ouest, un groupe beaucoup plus réduit cherchera à obtenir la capitulation du fort Duquesne.

 A FAIBLESSE DRAMATIQUE des positions de la France est maintenant évidente. L'extrême sud-ouest, partie vitale de son empire continental, s'est effondré. Les forts Duquesne, Oswego et Frontenac sont tous abandonnés ou ont capitulé. Les Français peuvent tout juste se permettre de défendre la route maritime du lac Champlain menant au coeur de la Nouvelle-France; l'été de 1758, les troupes régulières de Montcalm, abritées derrière un parapet de bois récemment érigé pour renforcer les murs délabrés du fort Carillon, réussissent à repousser l'attaque de front lancée par le général Abercromby. Là, sur un terrain si familier aux défenseurs canadiens, le génie de Montcalm peut encore triompher; mais à l'est, dans le golfe Saint-Laurent, où l'écroulement de l'Empire français est imminent, les Anglais ont pour eux la supériorité de leurs chefs et la puissance militaire.

La seconde offensive contre Louisbourg ressemble à un tel point à la première que le siège de 1745 aurait pu être la répétition générale de celui de 1758. Cette fois, les Français ont compris que c'est une erreur fatale d'attendre l'ennemi à l'intérieur de la forteresse; aussi sont-ils résolus à le repousser sur les plages à la première tentative de débarquement. Il est évidemment impossible de défendre toute la côte de la baie Gabarus; l'anse Cormorant à l'extrême est de la baie paraît toutefois l'endroit idéal pour établir une tête de pont, et les Français y creusent des tranchées et installent leurs batteries. Dans la nuit du 8 juin 1758, les embarcations d'assaut de James Wolfe sont accueillies par un tir meurtrier. Quelques embarcations de l'aile droite dérivent accidentellement jusqu'à une petite anse cachée par une colline; bientôt, des troupes de plus en plus nombreuses y débarquent sans se faire repérer par les défenseurs et réussissent à déborder la position française. Une fois leur tête de pont établie, les forces terrestres françaises se sont retirées à l'intérieur de la forteresse. Le siège va donc se dérouler selon un scénario bien connu. À nouveau, la Batterie royale est rapidement abandonnée et les Anglais occupent la pointe du Phare, à l'extrémité nord-est de la péninsule. L'amiral Boscawen bloque le port tout comme l'avait fait le commodore Warren, treize ans auparavant; un seul des vaisseaux de guerre français, l'*Arethuse*, parvient à s'échapper et met le cap sur la France alors que le reste de l'escadre est coulé ou incendié. La batterie de l'île est détruite pour la seconde fois. Vers la fin de juillet, sept semaines après le débarquement de Wolfe, c'est la capitulation de Louisbourg.

Les Anglais consolident leur mainmise sur les voies d'accès au Saint-Laurent en occupant l'île Saint-Jean et en construisant près de Port La Joye, principale colonie française de l'île, un nouveau fort, nommé Amherst en l'honneur du commandant en chef de l'expédition de Louisbourg. Leur plan de campagne pour l'année 1759 est presque une reprise de celui de l'année précédente. De petites troupes locales doivent s'emparer des derniers postes français de l'Ouest. Amherst doit poursuivre la poussée entreprise sur le lac Champlain et abandonnée dans la confusion par Abercromby. La principale entreprise de la campagne est une attaque contre Québec, lancée par le général Wolfe et l'amiral Saunders, par le Saint-Laurent. La gravité du danger sur chacun de ces trois fronts est fort inégale, mais Montcalm se doit d'assurer leur défense. Tandis qu'une force symbolique protège le cours supérieur du Saint-Laurent, un contingent plus important commence la fortification de l'Île-aux-Noix, à l'embouchure de la rivière Richelieu, dans la sombre expectative d'un éventuel abandon des avant-postes Saint-Frédéric et Carillon. À Québec, Montcalm, avec la majeure partie de son armée hétéroclite, attend l'arrivée de l'ennemi.

Les Français n'ont installé ni batterie ni redoute dans les chenaux étroits du fleuve pour bloquer le passage, car Vaudreuil croit fermement que la flotte anglaise ne peut s'y aventurer sans faire naufrage. La consternation et l'agitation à Québec n'en sont que plus grandes lorsque toute l'escadre de Saunders apparaît subitement au large de l'île d'Orléans, à la fin du mois de juin. Montcalm poste le gros de ses troupes sur les battures de Beauport, dominées par la citadelle, et dispose son flanc gauche jusqu'à la rivière Montmorency. Un mois après l'arrivée de Wolfe, il réussit à repousser une première attaque mal préparée. La situation reste stationnaire pendant encore un mois, jusqu'à ce que Wolfe se décide à abandonner son plan d'attaque de Beauport et à prendre la citadelle de revers. L'armée anglaise a le choix

entre plusieurs endroits pour atteindre la rive nord du fleuve, mais Wolfe choisit l'Anse au Foulon, le point le plus proche de la citadelle et, partant, le plus difficile et le plus dangereux. Cette manoeuvre téméraire est une réussite complète. Le lendemain 13 septembre, à dix heures du matin, sur un terrain aussi plat et uni qu'un champ de bataille d'Europe, l'armée disciplinée de Wolfe met en déroute les troupes disparates et inexpérimentées de Montcalm et arrache la capitulation de Québec.

Les dés semblent jetés, mais il n'en est rien. Le plan de campagne britannique de 1759, avec sa triple attaque contre le coeur de la Nouvelle-France, devait permettre de gagner la guerre, mais des retards et des erreurs de coordination entravent la réalisation de cet ambitieux objectif. Les derniers forts français de l'Ouest, à l'exception du fort Detroit, se sont tous rendus. Cependant, Amherst, dont la circonspection n'a d'égale que l'impétuosité d'Abercromby, progresse si lentement sur la route du lac Champlain que l'attaque prévue contre Montréal doit être reportée à la prochaine saison. Bien pis, les troupes vaincues de Montcalm réussissent à s'échapper vers l'ouest et à gagner Montréal par la rivière Saint-Charles.

Par miracle, la Nouvelle-France se voit donc accorder une dernière chance. Pendant les huit prochains mois, elle sera libre d'organiser une contre-offensive et de changer l'issue fatale de la bataille des Hauteurs d'Abraham. À Québec, l'armée britannique, désormais dirigée par le brigadier général James Murray, est bientôt réduite à l'état d'une garnison assiégée qui ne peut être sauvée de sa situation précaire que par l'arrivée d'une flotte de renforts au printemps suivant. Le duc de Lévis, successeur de Montcalm, est décidé à tirer profit de ce précieux répit. L'armée française qu'il réorganise et dirige sur Québec au printemps de 1760 remporte la bataille de Sainte-Foy et force les troupes de Murray à se réfugier à l'intérieur de la citadelle. Lévis met le siège devant Québec; en l'absence d'un soutien naval, cela risque d'être long et on est déjà au mois de mai.

L'issue des affrontements dépend inévitablement de la puissance navale des adversaires et du contrôle du Saint-Laurent. Au printemps de 1760, la France et l'Angleterre envoient toutes deux des renforts au Canada, mais ce sont les Anglais qui arrivent les premiers. Le premier vaisseau paraît le

9 mai, et le 16, Lévis doit lever le siège et battre en retraite sur Montréal. Les secours envoyés de France sont insuffisants et arrivent trop tard. Des six bateaux qui quittent Bordeaux en avril avec un maigre contingent de 460 soldats, trois seulement réussissent à franchir le blocus britannique. Alors qu'ils pénètrent dans le golfe Saint-Laurent à la mi-mai, ces survivants apprennent avec stupéfaction que la flotte britannique les a devancés. Mettant le cap sur la baie des Chaleurs, ils se réfugient à l'embouchure de la rivière Restigouche où ils érigent des fortifications, dans l'illusion que les Anglais n'oseront naviguer dans ces eaux. Là, ils attendent de nouvelles instructions de Montréal. La nouvelle d'une présence française dans le golfe provoque une vive réaction tant à Québec qu'à Louisbourg. C'est l'escadre de Louisbourg qui repère le refuge des Français, remonte la rivière au-delà des batteries sur la rive, emprunte le chenal d'accès si difficile et met fin à toute résistance. Les Français font sauter deux de leurs bateaux et les Anglais brûlent le troisième. Ainsi prend fin, dès le début de juillet, la dernière tentative de la France pour sauver sa colonie. Entre-temps, trois armées anglaises convergent sur Montréal; la première par la rivière Richelieu, la deuxième par le Saint-Laurent à partir d'Oswego, et la troisième par le Saint-Laurent depuis Québec. Le 8 septembre 1760, Vaudreuil signe la capitulation générale du pays.

Cependant, le dernier mot n'est pas encore dit. Même si elle a perdu à jamais ses possessions continentales, la France conserve dans la zone maritime des droits et des entreprises de pêche qu'elle tient à garder et à accroître. Il est évident qu'une victoire en territoire britannique lui donnerait le pouvoir de négociation supplémentaire dont elle a terriblement besoin pour la signature du traité de paix. Le lieu idéal est Terre-Neuve, ancien centre des pêcheries françaises et théâtre d'éclatantes victoires. Au printemps de 1762, une escadre de cinq vaisseaux commandés par le chevalier de Ternay et un contingent d'environ 870 hommes

sous les ordres de Joseph-Louis d'Haussonville appareillent pour Saint-Jean. Cette force expéditionnaire est plus importante que celle qui s'est réfugiée à l'embouchure de la rivière Restigouche deux ans plus tôt, et beaucoup trop puissante pour les défenseurs de Saint-Jean. Au cours de la guerre de la Succession d'Autriche et de la guerre de Sept Ans, les Anglais ont procédé à une restauration hâtive des ouvrages de défense de leur ancienne «capitale», négligée depuis trente ans. Bien que de Ternay et d'Haussonville ne risquent guère de rencontrer de résistance, ils ne font aucune tentative pour pénétrer dans le port. D'Haussonville préfère débarquer ses hommes à Bay Bulls et marcher sur Saint-Jean. Le commandant anglais, dont la petite garnison ne compte que soixante-quinze hommes, capitule rapidement.

La victoire des Français est tellement soudaine et inattendue que les Britanniques ont d'abord peine à y croire; prenant alors conscience avec stupeur qu'il s'agit non pas d'une simple escarmouche mais bien d'un projet ferme d'occupation permanente, ils envoient un gros contingent expéditionnaire de Halifax pour reprendre Saint-Jean. Début septembre, une escadre anglaise bloque le port sans attaquer les vaisseaux du chevalier de Ternay. Par ailleurs, le général Amherst adopte la stratégie de d'Haussonville; il débarque ses troupes au nord de Quidi Vidi, se rend maître du lac Quidi Vidi et des Narrows, et occupe, au cours de l'exploit le plus audacieux de toute la campagne, les hauteurs au nord de l'entrée du port de Saint-Jean. Les doubles crêtes Signal et Gibbet dominent toute la position, c'est-à-dire le village, le port et les Narrows. Malgré les efforts qu'ils ont faits pour réparer le fort William et les autres ouvrages de défense délabrés de Saint-Jean, les Français ne peuvent opposer de riposte efficace à cette canonnade sans précédent qui vient des hauteurs. D'Haussonville n'a d'autre choix que de capituler. La dernière tentative de la France pour maintenir sa présence dans ses anciennes colonies se solde par un échec définitif.

3 La traversée

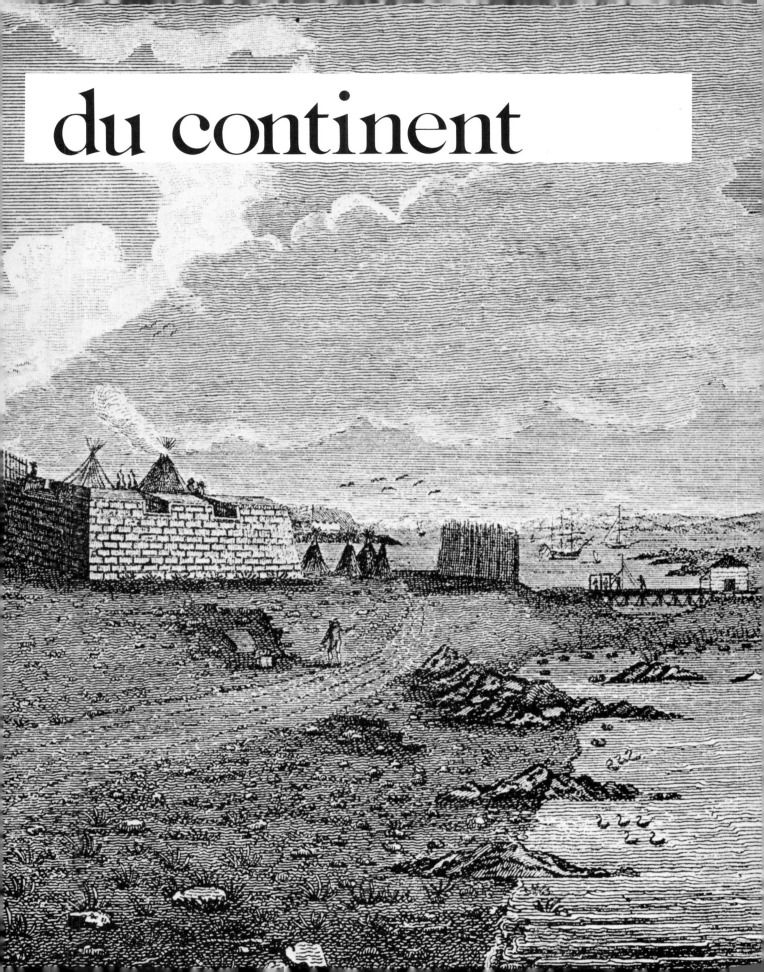

du continent

C'EST la traite des fourrures qui a entraîné l'établissement des premières colonies permanentes sur les rives du Canada continental. C'est également elle qui va maintenant pousser les Européens à sillonner le continent jusqu'à l'océan Pacifique, à la recherche de nouveaux territoires de castor.

Très tôt, les Français se rendent compte que les fourrures sont le produit le plus rentable et le plus abondant de leurs territoires nouvellement découverts. En quête du passage du Nord-Ouest vers l'Orient, ils ont suivi la voie tracée par les pêcheurs qui les a conduits dans un pays à la fois austère et attrayant, où prédominent l'immense bassin du Saint-Laurent et les hautes terres imposantes et rocailleuses du bouclier précambrien. Sis à la limite septentrionale de la zone tempérée froide, caractérisé par des hivers rigoureux et couvert de forêts profondes, ce pays abrite une grande variété d'animaux à fourrure; son réseau complexe de bassins, regroupant lacs, rivières, fleuves et ruisseaux, en fait le paradis des petits amphibiens, notamment du castor. Certes, ces terres représentent un défi pour la colonisation et l'agriculture, mais elles favorisent les déplacements et laissent espérer une expansion rapide vers l'intérieur; en outre, les aborigènes, qui sont surtout des chasseurs, disposent d'articles d'une valeur marchande incontestable, les fourrures. Ces fourrures vont donc devenir la principale ressource du Canada; ce sont elles qui assurent la survie des colonies françaises en Amérique du Nord et qui poussent les Anglais à venir faire du commerce dans la baie d'Hudson. Le castor est un animal doux, industrieux, très grégaire et presque sans défense. Il peut paraître exagéré de le considérer comme le fondateur d'une nation, mais il n'en reste pas moins qu'il a laissé une empreinte indélébile dans son pays d'origine. La recherche du castor entraîne Français et Anglais toujours plus avant vers l'ouest par les voies d'eau, jusqu'à ce qu'ils franchissent les montagnes et atteignent l'océan Pacifique. La traite des fourrures ne peut exister et ne peut être rentable que grâce aux réseaux des bassins septentrionaux. Ce sont donc ces deux éléments qui vont délimiter les frontières de ce qui deviendra la nation canadienne.

Deux grandes voies permettent de pénétrer dans les vastes régions de traite du Nord-Ouest. La première suit le Saint-Laurent et l'Outaouais pour atteindre le secteur supérieur des Grands Lacs. La seconde est la grande «baie du Nord» à laquelle un explorateur marqué par le destin, Henry Hudson, a donné son nom. Le Saint-Laurent est le seul réseau fluvial qui relie le littoral atlantique au coeur du continent nord-américain. Mais le voyage par terre, à partir des basses terres habitées qui s'étendent le long du fleuve jusqu'au royaume des castors loin dans l'intérieur, ne manque pas d'être long et difficile. Par contre, la baie d'Hudson, d'un accès assez facile et peu coûteux, débouche au coeur même de la région du Nord-Ouest où se trouvent les fourrures. Cependant, les premiers explorateurs, notamment les Anglais, que l'on retrouve sur la rive occidentale de la baie au tout début du XVIIe siècle, ne cherchent pas des fourrures mais le légendaire passage du Nord-Ouest vers l'Extrême-Orient. Tandis qu'ils demeurent obnubilés par le commerce avec la Chine, ce sont les Français qui, les premiers, font des fourrures la principale ressource de leur entreprise coloniale et utilisent le grand fleuve et ses affluents comme route commerciale vers l'Ouest. Ils ne tardent pas à nouer des relations amicales avec les Indiens des zones septentrionales, les diverses tribus de la grande famille algonquine, ainsi qu'avec les Hurons de la baie Georgienne, tribu sédentaire et agricole qui leur sert d'intermédiaire et les aide à étendre leur commerce plus avant vers le nord et vers l'ouest.

Pour une colonie de traitants comme la Nouvelle-France, une alliance avec les Hurons et les Indiens de la baie d'Hudson va de soi. Cependant, elle ne manque pas d'éveiller l'animosité de la puissante Confédération des Iroquois, leurs ennemis héréditaires, qui ont été chassés de la vallée du Saint-Laurent et refoulés au sud du lac Ontario. Équipés de fusils et de munitions par les Hollandais, ils deviennent rapidement plus puissants que leurs rivaux traditionnels. Ils éprouvent de l'envie et une haine particulièrement féroce envers les Hurons, ces intermédiaires prospères dans le commerce du Nord-Ouest. Dès le milieu du XVIIe siècle, ils sont sur un pied de guerre et prêts à prendre l'offensive. Au cours de deux terribles campagnes, en 1648 et 1649, les guerriers iroquois

L'industrieux castor au travail. Voici une illustration quelque peu exagérée de l'opinion exprimée dans un rapport officiel de l'époque, voulant que la traite du castor soit presque l'unique objectif de la colonie française du Canada.

PAGE PRÉCÉDENTE: *Le fort Prince-de-Galles, à l'embouchure de la rivière Churchill, témoigne de la puissance et de l'ambition des marchands de fourrures. Ses énormes fortifications en pierre n'ont d'égales que celles de Québec.*

détruisent les villages hurons et les survivants s'en-fuient en désordre vers l'ouest. Pendant les quinze années qui suivent, la Confédération iroquoise sera donc la force dominante dans la vallée du Haut-Saint-Laurent. L'autorité des Français à Québec chancelle dangereusement. La colonie peut encore survivre à la condition de réorganiser complètement la traite des fourrures dont elle dépend. Pour vaincre la concurrence iroquoise et exploiter les territoires vierges du Nord-Ouest, riches en castor, les Français doivent pénétrer eux-mêmes dans les forêts du lac Supérieur.

L'expansion vers l'ouest devient donc essentielle et inévitable; il ne fait aucun doute cependant que le long voyage de Montréal au lac Supérieur est dangereux et exige temps et argent. C'est là une dure réalité que n'ignorent pas deux aventuriers pittoresques, Pierre Esprit Radisson et Médard Chouart, sieur des Groseilliers, prototypes héroïques de tous les coureurs de bois. En 1659-1660, ils se sont rendus au lac Supérieur pour traiter avec les Cris du sud de la baie d'Hudson et ils ont ramené de magnifiques pelleteries. Grâce aux

récits des Indiens ainsi qu'à des renseignements de source européenne, les deux hommes conçoivent un projet original et audacieux; selon eux, il serait bien moins difficile et coûteux de développer le commerce si profitable du Nord-Ouest en traversant la baie d'Hudson par bateau qu'en effectuant le pénible voyage par l'intérieur à partir de Montréal. Pour Radisson et des Groseilliers, le passage du Nord-Ouest n'aboutira pas en Asie, mais ici même en Amérique du Nord. Ils vont substituer aux soieries de Chine les fourrures du bouclier précambrien. Comme ce sont les Anglais qui ont surtout exploré la baie, il semble normal qu'ils soient les premiers à se rallier à ce projet. Les autorités de Québec, préoccupées par la défense de leur colonie menacée, n'offrent pas le moindre encouragement à Radisson et à des Groseilliers. En 1668, après avoir vainement tenté pendant des années de réaliser eux-mêmes leur dessein, les deux hommes persuadent un groupe d'Anglais puissants et fortunés de financer une expédition maritime de traite dans la baie d'Hudson. Le succès est tel que, deux ans plus tard, ces riches aristocrates et ces

marchands prospères se voient octroyer une charte royale et créent la Compagnie de la baie d'Hudson.

Dorénavant, la «baie du Nord» et la «rivière de Canada» vont toutes deux rivaliser pour obtenir la maîtrise de la traite des fourrures. La nouvelle compagnie anglaise établit plusieurs «forts» ou «comptoirs» dans la baie James et fonde, en 1682, le premier d'une série de postes de traite sur la rive occidentale de la baie d'Hudson, près de l'embouchure des rivières Hayes et Nelson. Les Français ne réagissent pas immédiatement devant cette intrusion dans un territoire qu'ils considèrent comme leur propriété incontestable. Mais la période de négligence et de faiblesse qui a si longtemps retardé l'expansion de la Nouvelle-France tire à sa fin. La colonie devient une province royale administrée par des gouverneurs ambitieux et déterminés pour le compte de celui qui est déjà le plus grand monarque d'Europe occidentale. En 1686, alors que l'Angleterre et la France sont encore en paix, Pierre Lemoyne d'Iberville, à la tête d'une centaine d'hommes dont les deux tiers sont des Canadiens, se rend jusqu'à la baie James en fran-

chissant rivières et forêts et s'empare de tous les postes de traite de la Compagnie de la baie d'Hudson. Trois ans plus tard, lorsque la révolution de 1688 place Guillaume III sur le trône d'Angleterre, la guerre éclate officiellement entre les deux nations et la baie d'Hudson devient aussitôt le principal théâtre des affrontements en Amérique du Nord. Du côté des Français, le héros de la lutte est d'Iberville, véritable paladin de notre histoire. Ce géant blond est un navigateur né, rempli d'audace, dont le génie tactique va de pair avec les visées politiques. D'Iberville reprend pour le compte de la France les idées originales de Radisson et des Groseilliers.

Il est convaincu, comme Radisson, que la baie d'Hudson doit de toute nécessité appartenir à la France et qu'elle ne peut être dominée que par la mer. Il en vient également à la même conclusion que les Anglais: l'avenir de la traite des fourrures dépend non pas de la création de petits postes sur les rives de la baie James, mais de l'occupation de l'embouchure des rivières Hayes et Nelson qui donnent accès à l'immense territoire de traite de

Avec l'audace qui le caractérise, d'Iberville se lance à l'assaut du fort Nelson. La lutte pour la possession de la baie d'Hudson se poursuivra pendant un siècle.

l'Ouest, où s'étendent les lacs Winnipeg et Athabasca ainsi que la rivière Saskatchewan. En 1689, première année de la guerre, d'Iberville chasse tous les navires anglais de la baie d'Hudson. Cependant, les Anglais continuent à occuper avec entêtement le fort York, à l'embouchure des rivières Hayes et Nelson. Après une tentative infructueuse en 1690, d'Iberville s'empare du fort en 1694, mais les Anglais le lui reprennent deux ans plus tard. En 1696, alors que la guerre tire à sa fin, d'Iberville tente une nouvelle offensive. Son navire, le *Pélican*, séparé du reste de l'escadre française, se retrouve seul en face d'un vaisseau de ligne, le *Hampshire*, et de deux navires marchands de la Compagnie de la baie d'Hudson, le *Hudson Bay* et le *Dering*, à l'embouchure de la Hayes. Malgré une telle infériorité en nombre et en pièces d'artillerie, d'Iberville engage la bataille avec l'habileté et la hardiesse qui le caractérisent. Une bordée du *Pélican* envoie le *Hampshire* au fond tandis que le *Hudson Bay* se rend et que le *Dering* prend la fuite. Le *Pélican* lui-même coule peu après dans une tempête, mais le reste de l'escadre française survient à temps pour sauver l'équipage et d'Iberville s'empare triomphalement du fort York.

Cette place forte si âprement disputée et rebaptisée fort Bourbon reste entre les mains des Français durant toute la nouvelle phase du conflit franco-britannique, la guerre de la Succession d'Espagne. C'est en Europe que la France perd cette guerre, mais c'est en Amérique du Nord qu'elle paye sa défaite. Entre autres concessions territoriales, elle doit reconnaître les droits octroyés à la Compagnie de la baie d'Hudson et lui restituer ses forts, notamment le fort Bourbon, qui reprend le nom de York Factory. Le grand projet du sieur d'Iberville avorte et d'Iberville lui-même n'est plus, mais le souvenir de ses exploits pousse la Compagnie à améliorer la protection de ses forts et de ses comptoirs. Un poste a été établi en 1717 à l'embouchure de la rivière Churchill afin de canaliser la traite de la région de l'Athabasca, et la Compagnie décide de le transformer en une puissante forteresse qui protégera le commerce britannique. La construction commence en 1732 et se poursuit de manière intermittente pendant nombre d'années. Petit à petit s'élève dans un paysage dénudé une vaste place forte en pierre, de forme presque carrée, avec quatre énormes bastions et

Le fort Prince-de-Galles a été construit d'une solidité à

des murs de vingt pieds de hauteur et de quarante pieds d'épaisseur à la base.

On croit le fort Prince-de-Galles imprenable, mais sa force n'est pas éprouvée, même pendant la phase ultime de la lutte anglo-française pour la suprématie en Amérique du Nord. Ce n'est qu'au cours de la guerre de l'Indépendance américaine, au moment où la puissance navale de la France connaît un bref regain dans l'Atlantique, que le comte de Lapérouse pénètre dans la baie d'Hudson et met à l'épreuve la forteresse tant vantée.

toute épreuve. Après l'avoir conquis, les Français ont tenté en vain pendant deux jours de faire sauter ses murailles.

Son attaque éclair révèle immédiatement la seule faille du système de défense, c'est-à-dire l'inexpérience de son chef. Samuel Hearne est certes un grand traitant de fourrures, mais ce n'est point un soldat. Il capitule presque sur-le-champ; York Factory, attaqué à son tour, ne résiste pas plus longtemps. Les Français espèrent que ce raid va paralyser la Compagnie de la baie d'Hudson, mais un an plus tard, en 1783, ses employés ont repris leur commerce. Bientôt, York Factory bourdonne d'activité comme autrefois; seule demeure inoccupée, à l'embouchure de la rivière Churchill, la grande forteresse solitaire dont Lapérouse a encloué les canons et éventré les murs.

Illustration du XIXe siècle d'un campement indien. Des agents de la Compagnie de la baie d'Hudson et de la Compagnie du Nord-Ouest se disputent fourrures et clients.

LE TRAITÉ D'UTRECHT ferme à jamais aux Français l'accès à la baie d'Hudson par la mer; ils conservent cependant leur route initiale vers l'ouest: le Saint-Laurent, les rivières, les lacs et les portages. L'ancienne rivalité entre la baie et le fleuve est ranimée, et la concurrence devient de plus en plus âpre puisque la Compagnie de la baie d'Hudson commence maintenant à puiser ses fourrures dans la vaste zone vierge à l'ouest de la baie. La seule façon pour les Français de rivaliser avec York Factory et le fort Prince-de-Galles est évidemment de s'emparer des approvisionnements en fourrures à la source. Pour déjouer les Anglais, ils doivent établir des contacts directs avec les lointains clients de la Compagnie de la baie d'Hudson, les Cris de la prairie, les Assiniboines et les Chipewyans. Un tel dessein exige le prolongement de la difficile route de l'intérieur, de Montréal jusqu'au lac Winnipeg et même au-delà. L'organisation et la consolidation de cette avance stratégique reviennent à Pierre Gaultier de Varennes, sieur de la Vérendrye, à ses fils et à son neveu, le sieur de La Jemeraye. Les postes établis entre 1731 et 1741 aux lacs de la Pluie et des Bois, sur les rivières Rouge et Assiniboine et plus au nord, au lac Cedar près de l'embouchure de la rivière Saskatchewan, sont autant de points névralgiques où il est possible d'arrêter au passage les Indiens qui descendent péniblement vers la baie d'Hudson par les rivières et les lacs. En 1753, lorsque le successeur de La Vérendrye, le chevalier de La Corne, fonde le fort Saint-Louis à la ramification de la rivière Saskatchewan, les positions françaises se trouvent à dessiner un demi-cercle autour de toutes les voies d'accès maritimes de York Factory.

La lutte franco-britannique pour la suprématie en Amérique du Nord entre alors dans sa phase définitive. La conquête britannique met fin pour toujours à l'hégémonie de la France, mais ne fait pas cesser pour autant la rivalité entre le fleuve Saint-Laurent et la baie d'Hudson dans le commerce des fourrures. Inévitablement, la gestion et la propriété du commerce du Saint-Laurent passent des «anciens» sujets aux «nouveaux», des Français aux Britanniques; mais, loin de diminuer, la concurrence s'intensifie sous le nouveau règne.

Les marchands de fourrures montréalais jouissent désormais de tous les privilèges commerciaux qui étaient jadis l'apanage de la Compagnie de la baie d'Hudson et peuvent aussi compter sur toutes les ruses de négoce que l'expérience a enseignées aux Français. Ils ont l'appui de puissantes maisons d'exportation britanniques, des entrées chez les manufacturiers et le libre accès aux marchés des fourrures. Comme leurs prédécesseurs français, ils n'hésitent pas à se rendre dans les campements des Indiens, à nouer des relations amicales avec eux, à leur offrir des cadeaux, à leur vendre de l'alcool et à se gagner leur négoce par ruse ou par force. À partir de 1768, les «colporteurs» de Montréal, comme les appellent avec mépris les agents de la Compagnie de la baie d'Hudson, ont envahi les rivières Rouge, Assiniboine et la Basse-Saskatchewan. Cette concurrence agressive et très efficace pousse la Compagnie de la baie d'Hudson à modifier radicalement ses méthodes de traite. Pendant plus d'un siècle, les agents de la Compagnie ont attendu que les Indiens se présentent à leurs postes, sur les rives de la baie. En 1774, l'explorateur-traitant chevronné Samuel Hearne fonde enfin le premier poste de la Compagnie dans l'intérieur;

Une activité épuisante, des campements rudimentaires et de longs portages sont le lot des coureurs de bois lors de la pénétration vers l'ouest des compagnies de traite.

Alexander Mackenzie, homme ferme et indépendant. Comme la plupart de ses associés et de ses concurrents, il vient des hautes terres d'Écosse.

c'est Cumberland House, au lac Pine Island (appelé aujourd'hui lac Cumberland), au nord de la rivière Saskatchewan et un peu à l'ouest de la frontière actuelle entre le Manitoba et la Saskatchewan.

York Factory et Montréal ont donc maintenant la même stratégie intérieure, mais sous bien d'autres aspects·importants, la situation demeure fondamentalement différente et inégale. Le transport maritime entre Londres et York Factory est beaucoup plus facile et économique qu'entre Londres et Montréal, où vient s'ajouter l'interminable série de portages jusque dans les territoires éloignés de l'Ouest. Par conséquent, les frais sont bien plus élevés et les recettes plus lentes à rentrer à Montréal qu'à York Factory. Pour les Canadiens, la seule façon de surmonter ce désavantage de taille est de concevoir un mode d'organisation et une tactique commerciale qui leur soient propres. De 1778 à 1787, ces individualistes farouches et méfiants, aussi prêts à se faire concurrence entre eux qu'à rivaliser avec les hommes de la Compagnie de la baie d'Hudson, sont donc amenés à former une association souple et instable, connue, en bien ou en mal, sous le nom de Compagnie du Nord-Ouest.

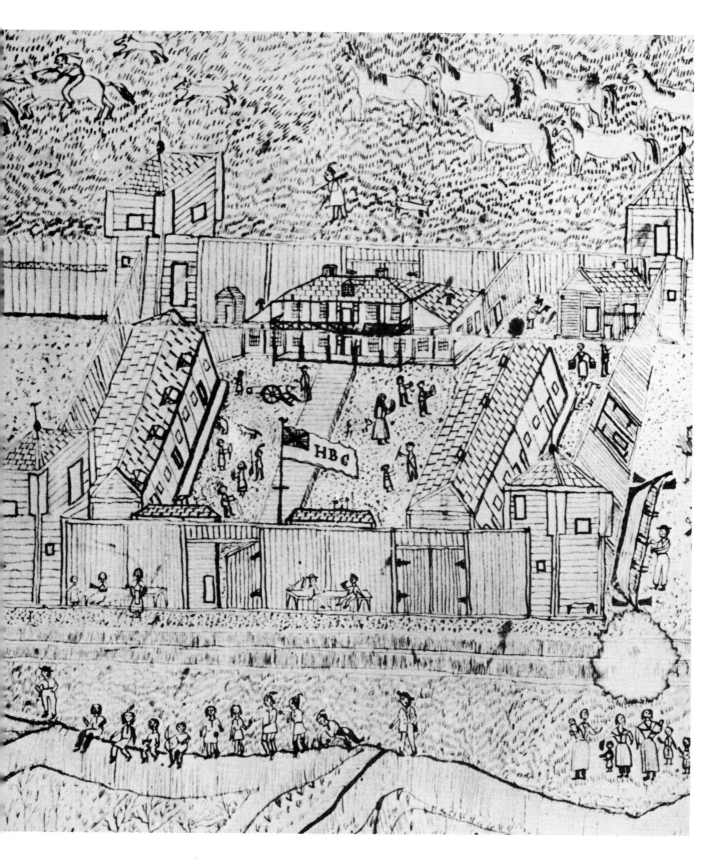

Après la fusion des compagnies rivales, Rocky Mountain House demeure un poste de traite aux couleurs de la Compagnie de la baie d'Hudson jusque dans les années 1870, époque à laquelle remonte cette scène animée que nous a léguée un de ses occupants.

La route difficile de l'Ouest à partir de Montréal est coupée en tronçons par des entrepôts dont le plus important est Grand-Portage (devenu Fort William par la suite); là, marchandises et fourrures sont transbordées des grands «canots du maître» arrivant de Montréal dans des «canots du nord» légers et rapides. À ces points, on peut aussi se réapprovisionner en vivres. En effet, poisson et gibier peuvent généralement s'obtenir au poste de traite lointain, mais durant le voyage à marche forcée vers l'ouest, il est absolument nécessaire de disposer d'aliments à forte teneur en protéines et de conservation facile. Le pemmican, viande maigre séchée, pressée et entourée de graisse fondue, devient la nourriture de base des coureurs de bois.

La région des rivières Rouge et Assiniboine constitue bientôt le principal centre d'approvisionnement de la Compagnie du Nord-Ouest. Le fort Espérance, poste typique, a pour mission première de fournir du pemmican aux agents de la Saskatchewan-Nord et de l'Athabasca. Établi en 1787 par un des fondateurs de la Compagnie, Robert Grant, il se dresse au sommet d'une butte sur le littoral sud de la rivière Qu'Appelle, à environ quatorze milles en amont de sa rencontre avec l'Assiniboine. Sis à la limite de la magnifique vallée Qu'Appelle, il est entouré de hautes collines ondulées tandis qu'à ses pieds la rivière serpente doucement vers le sud-est. Dans les grandes plaines environnantes, broutent, au dire même des coureurs de bois de l'époque, un nombre étonnant de bisons.

C'est à son réseau complexe de points d'approvisionnement et de voies de transport ainsi qu'à l'esprit d'initiative et à la hardiesse de ses membres qui hivernent dans l'intérieur que la Compagnie du Nord-Ouest doit son succès. La seule façon pour elle de rentrer dans ses énormes frais de transport est de s'accaparer les meilleures fourrures. Elle doit continuellement devancer les agents de la Compagnie de la baie d'Hudson et intercepter les Indiens, et cette manoeuvre vitale impose à ses employés une course incessante et coûteuse dans les Prairies. La construction de Cumberland House marque clairement la volonté de la Compagnie de la baie d'Hudson de ne pas se laisser devancer. Dorénavant, elle va riposter par la construction d'un poste à chaque nouvelle initiative de sa rivale. À mesure que les fourrures

Des Indiens Piegans posent à Rocky Mountain House, en

s'épuisent dans une région, les deux concurrents s'enfoncent plus avant vers l'ouest sur deux lignes presque parallèles; de campement temporaire en campement temporaire, ils se dirigent vers les montagnes. En 1799, la course se termine enfin sur la rive septentrionale de la Saskatchewan-Nord, en vue des Rocheuses. Chaque partie a établi un poste à environ un mille et demi en amont de l'embouchure de la rivière Clearwater. Le poste de la Compagnie de la baie d'Hudson s'appelle Acton House, celui de la Compagnie du Nord-Ouest, Rocky Mountain House. Pour les deux rivales,

1871. Moins d'une décennie plus tard, le fort est en ruine.

c'est la fin de la piste des Prairies et, pour la Compagnie du Nord-Ouest, c'est aussi le moment d'élaborer de nouveaux projets et de prendre un nouveau départ.

Voilà bien des années qu'Alexander Mackenzie, le premier grand stratège de la Compagnie, a prévu qu'une fois la barrière des Rocheuses atteinte, les affaires allaient inévitablement connaître une crise. Pour Mackenzie, il est impossible de songer à conquérir le vaste littoral du Pacifique au profit de sa compagnie, et en définitive au profit de la Couronne britannique, si on ne renonce pas à la route intérieure onéreuse à partir de Montréal et si on ne modifie pas radicalement les méthodes de transport et le mode d'organisation de la Compagnie. Il faut découvrir et exploiter, au-delà des montagnes, un cours d'eau navigable qui se rende jusqu'au Pacifique; il faut aussi mettre fin à la concurrence ruineuse entre la Compagnie du Nord-Ouest et la Compagnie de la baie d'Hudson en les fusionnant. Une fois cette fusion réalisée, il sera possible d'occuper et de mettre en valeur, soit par le Pacifique, soit par la baie d'Hudson, l'immense contrée au-delà des montagnes à laquelle l'Espagne vient de renoncer. Le dessein grandiose déjà caressé par Radisson, des Groseilliers et d'Iberville est donc repris par un homme que l'on peut qualifier de Canadien authentique, même si le Canada est son pays d'adoption, et acquiert maintenant une perspective transcontinentale, voire transocéanique.

Le rêve de Mackenzie ne se réalise pas de son vivant. Il surnomme le fleuve qu'il découvre (le Mackenzie) le «fleuve de la déception» parce qu'il ne se jette pas dans le Pacifique mais dans l'Arctique. En 1793, il franchit la dernière étape de son voyage vers l'ouest par voie de terre plutôt que par le fleuve majestueux qu'il avait espéré découvrir. C'est à Duncan McGillivray qu'incombe la réalisation du projet inachevé. Il est un stratège aussi perspicace que son prédécesseur et le frère cadet de William McGillivray, membre de plus en plus influent de la Compagnie du Nord-Ouest. En 1800, McGillivray s'installe à Rocky Mountain House avec l'explorateur-cartographe David Thompson pour explorer les voies d'accès des montagnes; l'année suivante, il pénètre dans la vallée du Kootenay par le White Man's Pass.

Cependant, la réalisation des deux volets du plan Mackenzie-McGillivray, c'est-à-dire la fusion des compagnies et le passage des montagnes, est retardée pendant cinq ans par une lutte sans merci au sein de la Compagnie. La délimitation définitive de la frontière internationale a forcé un certain nombre de marchands de fourrures de Montréal à quitter le secteur au sud de la ligne de démarcation pour gagner le Nord-Ouest canadien; ces nouveaux venus s'allient à certains agents mécontents de la Compagnie du Nord-Ouest et à Mackenzie lui-même pour former une nouvelle association, la Compagnie X.Y.

Simon Fraser. Comme Mackenzie, il est déterminé à trouver une voie navigable jusqu'au Pacifique.

La violente querelle qui oppose les deux compagnies accapare toutes les énergies, mais ne diminue pas pour autant leurs ambitions commerciales. Pendant que la Compagnie du Nord-Ouest tente de s'immiscer à coups d'or ou par la force au sein de la Compagnie de la baie d'Hudson et que la Compagnie X.Y. s'efforce d'acquérir la majorité des parts, Mackenzie, nommé entre-temps chevalier, continue à rêver de commerce entre l'Amérique du Nord et l'Asie. Malheureusement, les efforts sont trop morcelés et, ce qui est plus grave encore, les objectifs demeurent fondamentalement distincts. Le «marquis», Simon McTavish, qui tient encore les rênes de la Compagnie du Nord-Ouest, considère la création de la Compagnie X.Y. comme un défi personnel à son leadership; il s'oppose avec la dernière énergie au déplacement de l'entrepôt principal des fourrures de Montréal à la baie d'Hudson. C'est seulement après sa mort, en 1804, que les objectifs sont conciliés et que les individus font la paix. Cette même année, l'ancienne Compagnie du Nord-Ouest et la nouvelle fusionnent et, au cours de la première réunion générale, on adopte les plans d'avenir soumis par Duncan McGillivray.

En 1805, pendant que McGillivray négocie avec la Compagnie de la baie d'Hudson le droit de transporter des marchandises par la baie, deux

Le fort St. James, quartier général de la traite des

fourrures dans le nord de la Colombie britannique au cours du XIXᵉ siècle. Il a été restauré tel qu'il était vers 1895.

expéditions s'amorcent en vue de trouver un passage dans les montagnes jusqu'au Pacifique. Simon Fraser doit suivre la rivière de la Paix en empruntant la route septentrionale d'Alexander Mackenzie, tandis que David Thompson doit s'acheminer vers l'ouest à partir de Rocky Mountain House. Il est grand temps d'aller de l'avant, car si Canadiens et Britanniques n'agissent pas rapidement et ne donnent pas suite aux revendications territoriales de Cook et de Vancouver, ils perdront à jamais le littoral du Pacifique au profit des États-Unis et de la Russie.

PENDANT QUE Thompson se prépare, sans trop d'empressement, à franchir les montagnes dans le secteur sud, Fraser s'avance rapidement vers le nord, puis vers l'ouest. Il ne s'attarde pas à son campement de base qu'il a établi à Rocky Mountain Portage, un peu à l'est des montagnes, au pied du col de la rivière de la Paix. Il ne cesse d'aller de l'avant, remontant les rivières de la Paix, Parsnip et Pack et, avant la fin de 1805, il atteint le lac McLeod où il construit un fort du

même nom. C'est la première habitation permanente à l'ouest des Rocheuses.

L'été suivant, Fraser poursuit sa route; il descend rapidement le fleuve qui portera son nom, remonte les rivières Nechako et Stuart et, en juillet, il atteint le lac Stuart. C'est une jolie nappe d'eau, entourée de collines basses aux couleurs sombres que dominent au loin des caps enneigés. De longs promontoires terminés par des plages de sable et des bouquets de saules brisent la courbe du rivage, et les couleurs pâles des peupliers, des baumiers et des saules contrastent subtilement avec le vert foncé des épinettes et des pins. Les Takullis qui habitent la région semblent offrir des perspectives commerciales assez intéressantes; cependant, il est difficile d'approvisionner le fort St. James, le nouveau poste sur le bord du lac, et Fraser se lasse rapidement d'un menu de saumon séché; il passe deux hivers au lac Stuart et complète la chaîne de postes de traite en construisant le fort George au confluent de la rivière Nechako et du fleuve Fraser. Au printemps de 1808, il entreprend enfin la descente du grand fleuve vers le sud. C'est le premier voyageur à qui les gorges du Fraser révèlent leur terrifiante beauté. Bien avant de terminer son voyage, Fraser sait que le fleuve qu'il a découvert n'est pas navigable; cependant, il se rend compte qu'il ne s'agit pas du fleuve Columbia seulement lorsqu'il atteint la côte du Pacifique.

Les bâtiments du fort St. James sont construits dans le style des maisons de bois en queues-d'aronde de la colonie de la rivière Rouge. C'est le point de rassemblement et d'entreposage des fourrures des postes de la région avant leur expédition sur la côte.

Le fort Astoria. Les Américains le construisent à l'embouchure du Columbia afin de concurrencer la Compagnie du Nord-Ouest.

C'est David Thompson qui, par la suite, découvre le Columbia et suit les dernières étapes de son long parcours. Thompson passe cinq ans à explorer la région du Kootenay et du Haut-Columbia, dressant des cartes, traitant avec des Indiens plutôt hostiles, construisant des postes de traite et apportant à plusieurs reprises des fourrures à Rocky Mountain House. Pendant qu'il poursuit son exploration méthodique, le franchissement des montagnes devient un problème de plus en plus urgent. L'été de 1810, Thompson, qui s'attend à obtenir un congé, quitte les régions septentrionales et revient vers l'est jusqu'au lac de la Pluie.

Il y reçoit l'ordre péremptoire de rebrousser chemin et d'achever sa mission.

Les marchands de la Compagnie du Nord-Ouest sont maintenant très inquiets de l'avenir de leur commerce au-delà des montagnes. La menace de la concurrence américaine, qui plane depuis que Lewis et Clark ont passé l'hiver de 1805-1806 à l'embouchure du Columbia, s'est concrétisée avec la fondation de l'American Fur Company, dont le président, John Jacob Astor, se propose de commercer dans la région du Pacifique et en Chine. En septembre 1810, Astor dépêche le navire *Tonquin*, escorté d'un vaisseau de ligne américain, à l'embouchure du Columbia pour y établir un fort. Thompson peut encore devancer les Américains, mais sa timidité naturelle, la faiblesse de son équipe de soutien, l'hostilité des Indiens et les difficiles détours qu'il doit faire pour éviter de les provoquer ralentissent son avance. Il ne peut plus rattraper de si longs retards. Parvenu à l'embouchure du Columbia le 15 juillet 1811, il découvre le solide fort Astoria sur lequel flotte triomphalement le drapeau américain.

La défaite semble irrémédiable, mais la Compagnie du Nord-Ouest ne s'avoue pas vaincue. Profitant de la déclaration de la Guerre de 1812 et du soutien de la marine britannique qui lui procure un net avantage, elle convainc les *Astorians* de lui vendre leur fort et de renoncer à leurs ambitions dans le Pacifique. En 1813, huit ans après avoir été lancé, le projet du Columbia est enfin réalisé. La puissance et le prestige de la Compagnie du Nord-Ouest sont à leur apogée. Depuis des années, la compagnie de la baie d'Hudson ne verse même plus de dividendes, alors que l'association des marchands montréalais jouit d'un quasi-monopole des fourrures de l'Athabasca et qu'elle vient de faire reconnaître ses droits, comme ceux de la Grande-Bretagne, sur le littoral du Pacifique. La Compagnie de la baie d'Hudson devrait normalement s'incliner mais, chose étonnante, elle ne manifeste aucune intention de déposer honteusement les armes. Au contraire, elle pousse l'audace jusqu'à tenter d'envahir la région de l'Athabasca; sous l'instigation de Lord Selkirk, elle fonde un établissement agricole sur le bord de la rivière Rouge, au coeur même de la principale zone d'approvisionnement de sa rivale. La Compagnie du Nord-Ouest, ainsi que les Métis de la rivière Rouge à son service, sont déterminés à ne pas laisser de tels outrages impunis. En 1816, leur riposte se teinte de sang à Seven Oaks. La lutte armée entre les deux compagnies atteint rapidement son paroxysme; pendant quatre longues années, l'histoire du Nord-Ouest canadien se résume, à peu de chose près, à une suite tumultueuse d'attaques armées et de représailles, d'arrestations et de contre-arrestations, de poursuites en justice et de requêtes contradictoires adressées au gouvernement.

À la longue, les deux parties commencent à se lasser de tels excès de violence. Cependant, la Compagnie de la baie d'Hudson, qui est une socié-

Sir George Simpson, qui a consolidé l'empire de la Compagnie de la baie d'Hudson dans l'Ouest.

té anonyme à charte, peut mieux tenir le coup devant de telles tribulations; par contre, la Compagnie du Nord-Ouest, qui n'est qu'une association assez libre d'agents montréalais et d'associés sur le terrain, dont la dernière entente tire à sa fin, se retrouve divisée et affaiblie. Des deux côtés, on cherche à mettre un terme au différend. Avec le bienveillant appui du gouvernement britannique, une nouvelle compagnie unifiée ne tarde pas à se créer. Elle se propose de faire du commerce tant par la voie de la baie d'Hudson qu'à partir de la côte du Pacifique. C'est, du moins en partie, la réalisation du projet qui a été conçu par Radisson et d'Iberville un siècle plus tôt et qu'Alexander Mackenzie et Duncan McGillivray ont tenté de mener à bien pendant des années. Certes, cette solution n'est pas la consécration à laquelle rêvaient les membres de la Compagnie du Nord-Ouest car ils n'ont pas obtenu la mainmise sur leur rivale. La fusion permet à la Compagnie de la baie d'Hudson de conserver précieusement son identité et de connaître une expansion rapide. Quelques années plus tard, à la faveur de la faillite d'une des grandes maisons d'expédition de Montréal, ses membres deviennent majoritaires et prennent la direction de l'entreprise. Le gouverneur des

Les navires au long cours peuvent remonter le fleuve Fraser jusqu'au fort Langley. C'est là que les agents de la Compagnie de la baie d'Hudson troquent du saumon et des fourrures et, dans les années 1850, approvisionnent les hordes qui se ruent vers les champs aurifères plus au nord.

affaires du Nord, George Simpson, devient rapidement la figure dominante du monde commercial.

Simpson doit renforcer et protéger un immense domaine. Les prétentions territoriales des Américains et des Britanniques sur la côte du Pacifique, qui se sont affirmées d'un côté par la construction du fort Astoria, et de l'autre par sa vente, sont irréconciliables. L'entente signée en 1818 ne fait que repousser la question de la souveraineté à une date ultérieure et, entre-temps, ouvre le territoire à l'ouest des montagnes aux ressortissants des deux pays. La Compagnie de la baie d'Hudson est à l'époque la force dominante dans la région et Simpson aspire à obtenir ces territoires de façon permanente, en tout ou en partie, pour sa Compagnie et la Couronne britannique. Il est toutefois assez réaliste pour ne pas chercher à obtenir les secteurs du Bas-Columbia. La chance aidant, il pourrait peut-être s'y maintenir tout comme il pourrait être obligé de se replier. Devant une telle incertitude, mieux vaut concentrer son commerce non pas dans le sud, mais dans le centre et le nord de son vaste empire.

Le territoire septentrional, sauvage et touffu, a pour postes de traite les forts McLeod, George, St. James et Alexandria; il forme une région administrative distincte au nom très approprié de Nouvelle-Calédonie. Le fort St. James, sa capitale, peut être approvisionné aussi bien par la baie d'Hudson que par la côte du Pacifique, mais la route du Nord est longue et difficile et celle du Sud, qui emprunte le Columbia, a un avenir incertain. Il faut à Simpson une grande voie de transport, surtout fluviale, qui passe au coeur de son territoire et débouche sur la mer, bien en amont du Columbia. Pendant quelque temps, en dépit des avis contraires de Mackenzie et de Fraser, il reste convaincu que le fleuve Fraser est la grande voie cherchée. En outre, il décide que le poste principal de la Compagnie sur la côte du Pacifique, le fort Vancouver, occupe une position trop vulnérable et qu'il faut un lieu sûr sur le Bas-Fraser.

Telle est la stratégie qui entraîne la construction du fort Langley. En novembre 1824, Simpson arrive au fort Vancouver lors de sa première visite de la région du Columbia et envoie une expédition vers le nord par le détroit de Puget à la recherche d'un bon emplacement. Les chefs de l'expédition choisissent un endroit sur la rive gauche (sud) du

En reconstruisant le fort Langley, on a conservé un des bâtiments des années 1840, vraisemblablement le comptoir de traite. Tous les bâtiments sont de style très simple et en bois.

Fraser, environ trente milles en amont de son embouchure, là où le terrain s'élève assez rapidement jusqu'à un plateau qui domine le large fleuve. Trois ans plus tard, un vapeur de la Compagnie, le *Cadboro*, envoyé d'Angleterre pour faire du cabotage sur la côte, remonte le fleuve au cours du mois de juillet; dès la fin de novembre, la construction d'un poste de traite bien solide, doté d'une palissade et de deux bastions face au fleuve, est presque achevée. Le fleuve regorge de saumons, les terres environnantes sont fertiles et tout laisse espérer que le fort pourra subvenir à ses besoins grâce à la pêche, à la culture potagère et à l'agriculture. Simpson est d'ailleurs fermement convaincu que chaque poste de traite doit pouvoir vivre en autarcie.

Cependant, l'avenir du fort Langley dépend, non pas de ses avantages comme poste de traite ou point d'approvisionnement, mais de sa position sur le Bas-Fraser, au bout de la principale route de transport de la Compagnie dans l'intérieur. Simpson se plaît à croire que la nature a façonné le Fraser pour jouer un tel rôle. Cette illusion est vite dissipée. En 1828, quatre ans après sa première visite sur la côte du Pacifique, il y retourne par la route du Nord à la tête d'un contingent important afin de vérifier si le Fraser est navigable entre le fort Alexandria et la mer. En aval de Lytton, il est terrifié par les hautes falaises qui se dressent perpendiculairement sur chaque rive, les rochers énormes suspendus comme par prodige au-dessus des frêles embarcations et les eaux écumantes qui coulent à une vitesse folle. Bien avant d'atteindre le fort Langley, il doit admettre avec tristesse que le Fraser ne peut plus être considéré comme une voie de communication praticable avec l'intérieur.

Le fort Langley voit son magnifique avenir renvoyé aux calendes grecques et il devient du jour au lendemain un simple établissement côtier secondaire. Le fort Vancouver demeure la grande fenêtre de la Compagnie de la baie d'Hudson, ouverte sur le Pacifique; le fort St. James et les autres postes de la Nouvelle-Calédonie sont approvisionnés par la longue route terrestre et fluviale qui va du fort Alexandria jusqu'au Columbia et au fort Vancouver en passant par Kamloops et la magnifique vallée de l'Okanogane.

Le fort Garry à l'époque de son apogée.

EN 1830, George Simpson est au service de la Compagnie de la Baie d'Hudson depuis déjà dix ans. Il a été nommé gouverneur des affaires du Nord lors de la fusion des deux compagnies en 1821; cinq ans plus tard, lorsque son collègue du Sud prend sa retraite, il devient gouverneur de la Terre de Rupert. Habile diplomate, homme infatigable, il règne en maître sur un demi-continent où sa parole a force de loi et où le commerce des fourrures occupe encore la première place. On ne pressent pas encore les deux événements qui viendront menacer son empire: les progrès de la colonisation et la fixation définitive de la frontière

On distingue au loin les dépendances du petit fort Garry.

internationale. En effet, la minuscule colonie qui s'est établie au confluent des rivières Rouge et Assiniboine commence à peine à remplir son rôle de pourvoyeur dans le commerce des fourrures, et la Convention de 1818, qui assure des droits égaux aux ressortissants de la Grande-Bretagne et des États-Unis, a été reconduite pour une période indéterminée sous réserve que l'une ou l'autre des parties puisse y mettre fin en donnant un préavis d'un an. L'avenir s'annonce stable et prospère. George Simpson, qui vient à peine de franchir le cap de la quarantaine, est de toute évidence un homme qui a réussi et qui mérite une épouse digne de lui ainsi qu'une vie privée confortable. Comme tant d'autres traitants de fourrures, il a eu des enfants métis illégitimes, mais cela ne semble pas faire obstacle à son mariage, en 1830, avec une cousine de dix-huit ans, Frances Ramsay Simpson.

Les nouveaux époux ont manifestement besoin d'une résidence élégante, et l'habile Simpson imagine sans tarder le moyen de l'obtenir. En 1826, une terrible inondation a presque entièrement détruit le fort Garry, au confluent des rivières Rouge et Assiniboine; de toute urgence, il faut construire un nouvel établissement, au même endroit ou quelque part dans les environs. Simpson propose d'abandonner l'ancien emplacement au profit d'un magnifique site qu'il a découvert une vingtaine de milles en aval, au bas des rapides St. Andrew. Ce déplacement offre plusieurs avantages

Le petit fort Garry restauré, vu de l'autre rive de la rivière Rouge.

Dans le grenier du petit fort Garry se trouve encore la presse à fourrures originale.

indiscutables. Le fort Garry, construit dans les terres basses, est menacé chaque année par les inondations et toujours exposé aux troubles et à l'agitation qui caractérisent un petit centre commercial. Le nouveau fort Garry serait bien à l'abri des inondations sur les rives élevées de la rivière et plus près des principaux entrepôts de la Compagnie dans le Nord, c'est-à-dire Norway House et York Factory.

De tels arguments semblent irréfutables; chose curieuse cependant, Simpson ne juge pas bon d'informer de son projet le conseil de la Compagnie à Londres avant que les travaux de construction, dirigés par l'artisan Pierre Leblanc, ne soient déjà bien avancés. Le nouveau fort devient le seul bâtiment en pierre de la Compagnie. L'ouvrage central, bien en évidence, est la grande maison, destinée naturellement à loger les Simpson. C'est un long bâtiment imposant de deux étages qui fait face à la rivière. Construit dans le style campagnard Régence en vogue à l'époque, son toit en croupe, ses fenêtres en mansardes et ses larges vérandas lui donnent plutôt l'aspect d'une riche gentilhommière que d'une maison commerciale. De chaque côté se dressent, à une distance respectueuse, deux entrepôts en pierre de trois étages; le premier abrite les fourrures de la Compagnie et le

Le ramassage du foin au petit fort Garry, en 1860. Cette époque marque aussi la naissance de l'industrie dans la région.

magasin alors que le deuxième sert de grenier et d'entrepôt. Plus tard, vient s'ajouter une haute muraille en pierre avec un bastion à chaque coin, qui dessine un carré parfait autour de la propriété pour la défendre.

Le petit fort Garry est impressionnant, voire redoutable, mais il ne comble les espoirs ni de Simpson, ni de sa femme, ni de la Compagnie. Les Simpson n'y résident qu'au cours de l'année 1833-1834. Frances ne peut supporter la dureté du climat; les deux époux tombent malades au cours de leur bref séjour et leur premier enfant, né au grand fort en amont, meurt au printemps de 1833 au petit fort. Simpson n'a connu que déceptions et malheurs au lieu de l'heureuse vie familiale solitaire dont il rêvait, sur les berges de la rivière Rouge; lui et sa femme renoncent à vivre dans le Nord-Ouest et retournent dans l'Est, à Lachine près de Montréal. Le petit fort Garry a perdu son prestige éphémère de grande résidence et il ne deviendra jamais un important centre de commerce. Clients et employés détestent faire le voyage de vingt milles entre l'ancien fort, où ils habi-

tent pour la plupart, et le nouveau fort. En 1834, trois ans seulement après le début des travaux au nouvel emplacement, Simpson se rend à l'évidence qu'il faut reconstruire le fort Garry original et en faire le principal centre du commerce. Un fait s'est imposé de lui-même: c'est au confluent des rivières que doit se situer le pivot économique de la colonie de la rivière Rouge.

La vitalité à toute épreuve de la petite colonie, qui a eu raison des projets de Simpson, n'est qu'un signe avant-coureur des bouleversements que va entraîner l'expansion de la colonisation vers l'ouest au cours des douze années à venir. La poussée américaine, dans le Midwest et sur la côte du Pacifique, de même que la croissance de la population de la rivière Rouge menacent l'autorité et les droits territoriaux de la Compagnie de la baie d'Hudson. Les échanges qui ne tardent pas à s'établir entre les nouveaux commerçants indépendants du fort Garry et le nouveau poste de l'American Fur Company à Pembina, sur la frontière internationale, semblent une attaque ouverte contre le monopole de la Compagnie; ses tentatives pour

La Grande Maison, jadis résidence du gouverneur, telle qu'elle était en 1858.

affirmer ses droits exclusifs ne font qu'aggraver la situation. De plus en plus de gens réclament la liberté de commerce, dénoncent le règne autoritaire des marchands et demandent l'établissement d'un gouvernement responsable. L'hégémonie de la Compagnie est contestée même dans l'Assiniboine, au coeur de son empire; plus loin, dans l'Oregon et le long du Columbia ou de ses affluents, là où les colonies américaines se multiplient rapidement, son autorité et celle de la Couronne britannique sont tout simplement rejetées. James Polk, porté à la présidence des États-Unis grâce à son populaire cri de ralliement «54°40' ou la guerre», réclame maintenant tous les territoires occupés en commun jusqu'à la frontière russe. Pendant quelque temps, il semble possible que l'Amérique britannique du Nord soit entraînée dans une guerre totale ou limitée contre les États-Unis. En prévision d'un raid américain, trois compagnies du Régiment royal d'infanterie (les *Warwickshires*) sont placées en garnison au petit fort Garry.

Néanmoins, la crise est évitée, et ce, sans trop de difficultés. Les Britanniques opposent une fin de non-recevoir aux revendications excessives des Américains et ces derniers diminuent un peu leurs pressions. Le traité de l'Oregon de 1846 vient enfin régler le conflit; la frontière internationale est fixée au 49e parallèle jusqu'à l'océan Pacifique et la Grande-Bretagne reçoit toute l'île Vancouver. Simpson a toujours su qu'il devrait peut-être un jour renoncer au Columbia et il s'est préparé à cette éventualité, d'abord en construisant vingt ans auparavant le fort Langley et, plus récemment, en érigeant le fort Victoria à l'extrémité sud de l'île Vancouver. Même s'il venait à perdre le Columbia, il espérait pouvoir conserver, au profit de sa compagnie et de la Couronne, le centre et le nord de ses territoires du Pacifique qui constituaient la Nouvelle-Calédonie. Le traité de l'Oregon exauce ses voeux et marque du même coup l'aboutissement du rôle de la traite des fourrures. C'est grâce aux efforts conjugués de la Compagnie du Nord-Ouest et de la Compagnie de la baie d'Hudson que le Canada peut dorénavant s'étendre jusqu'à la côte du Pacifique.

4　La défense

des côtes

AU COURS DE LEUR LUTTE pour conquérir le littoral et les îles du nord-est de l'Amérique du Nord, la France et l'Angleterre comptent toutes deux sur leurs défenses côtières pour faire prévaloir leurs droits. Il n'en demeure pas moins que ce sont les Français qui, les premiers, construisent des fortifications sur le littoral atlantique et ne cessent de miser sur ce système défensif comme jamais les Anglais ne l'ont fait. Ils fortifient Port-Royal et Plaisance, bâtissent la forteresse grandiose de Louisbourg sur l'île du Cap-Breton et cherchent, grâce à la construction des forts Beauséjour et Gaspareaux, à confiner les Anglais sur la péninsule de la Nouvelle-Écosse.

Les Anglais sont moins enclins à axer exclusivement leur défense sur des palissades, des bastions et des blockhaus; lorsqu'ils ont recours à de tels ouvrages, c'est moins de leur propre initiative que pour riposter à quelque nouvelle installation des Français. Deux événements les contraignent à tenter sérieusement de défendre Saint-Jean (Terre-Neuve): la fortification de Plaisance et le raid destructeur de d'Iberville en 1696. La fondation de Halifax fait contrepoids à l'édification de la puissante forteresse de Louisbourg et indique que l'Angleterre reconnaît enfin la nécessité de défendre ses intérêts en Nouvelle-Écosse. La construction précipitée du fort Lawrence sur la rive est de la rivière Missiquash constitue une riposte encore plus évidente, et beaucoup plus immédiate, à la présence soudaine des Français dans l'isthme de Chignectou.

La France s'en remet à ses défenses côtières pour la protection de ses droits territoriaux et la surveillance de ses routes maritimes. En revanche, la Grande-Bretagne base sa défense sur sa puissance navale. Il s'agit d'une différence de stratégie considérable et, l'avenir le prouvera, d'une différence déterminante; c'est aussi une différence de valeur plutôt que de caractère. La France, tout comme l'Angleterre, est un pays dont la vocation est à la fois terrestre et maritime. En effet, elle possède une longue zone côtière, des intérêts maritimes considérables, et ses habitants robustes se révèlent d'excellents marins. La France pourrait être une grande puissance navale et, parfois, elle le prouve. Mais elle est également une grande puissance terrestre, une puissance qui, à partir du début du règne de Louis XIV, cherche pendant un siècle et demi à jouer un rôle prédominant dans la politique européenne. Sa longue frontière orientale l'incite à se tourner vers l'Europe, à compter de plus en plus sur des armées de métier et des fortifications complexes, et à approfondir sans cesse ses connaissances en génie militaire.

La période de 1755 à 1760 marque la prise, par les Britanniques, de l'Acadie et de la Nouvelle-France, que les forts français n'ont pas réussi à empêcher. La Grande-Bretagne pourrait, grâce à ces deux nouvelles conquêtes, doubler le nombre de ses positions de défense fixes dans le nord-est de l'Amérique du Nord, mais, en réalité, elle n'en a nullement l'intention. La conquête, la paix et les règles fondamentales de sa haute stratégie navale, voilà autant d'éléments qui la poussent, non à la conservation de cette chaîne de places fortifiées, mais à une réduction radicale de leur nombre. Louisbourg est un magnifique trophée de guerre qu'une grande nation pourrait être fière de posséder et de montrer. Les Britanniques ne veulent pas l'occuper et, en moins de deux ans, cette forteresse est rasée; quant au fort Lawrence, il est tout simplement abandonné. À Rocky Point dans la baie Hillsborough (île du Prince-Edouard), le fort Amherst, après avoir rempli son rôle éphémère dans la défense du golfe Saint-Laurent pendant la dernière phase de la guerre de Sept Ans, est laissé à l'abandon. Le fort Beauséjour et le fort Anne sont conservés, mais il semble peu probable que ce soit pour longtemps. Plaisance, dite ensuite Placentia, est demeurée la principale base britannique à Terre-Neuve depuis un demi-siècle, c'est-à-dire depuis le traité d'Utrecht jusqu'au traité de Paris. Comme la France vient de perdre le Cap-Breton et l'île du Prince-Édouard, il n'y a plus aucune raison de protéger le détroit de Cabot et l'entrée du golfe. Les Britanniques choisissent plutôt Saint-Jean comme principal poste fortifié de Terre-Neuve; aussi, les défenses de Plaisance, soit le château perché au sommet de sa haute colline, le nouveau fort et le fort Frederick, de part et d'autre du goulet au confluent des rivières Northeast et Southeast, perdent-elles leur importance de jadis.

Dans l'optique des Britanniques, deux postes de défense, Halifax en Nouvelle-Écosse et Saint-Jean à Terre-Neuve, offrent des avantages que les

PAGE PRÉCÉDENTE: *Le canon de Signal Hill gardant le port de Saint-Jean, avec la ville à l'arrière-plan.*

Ce dessin des années 1780 révèle l'état d'abandon des bâtiments à Plaisance.

autres forts du littoral nord-est n'ont pas. Tous deux sont des ports maritimes ouverts sur l'Atlantique Nord et près de ses principales voies maritimes. En outre, ils sont dotés de vastes installations portuaires, d'accès difficile à cause de leur entrée étroite, et dominés par des collines élevées et faciles à défendre. Pour une puissance navale comme la Grande-Bretagne, il s'agit là de traits communs importants, mais qui ne diminuent en rien la différence entre les deux ports. Halifax, et seulement Halifax, peut constituer le centre du système de défense britannique sur le littoral nord-est de l'Amérique du Nord. Saint-Jean, de même que Terre-Neuve d'ailleurs, encore considérée comme une base saisonnière de pêche plutôt que comme une colonie permanente, est trop éloigné des grandes zones d'habitation pour contribuer quelque

peu à leur protection. Ce port ne peut donc rivaliser en importance avec Halifax, mais contribue à défendre le commerce et la pêche britanniques. Par ailleurs, il est particulièrement vulnérable à la «guerre de course», ces attaques éclairs amphibies auxquelles les Français ont souvent recours lorsqu'ils n'osent affronter la suprématie navale des Britanniques dans un engagement général. La capture de Saint-Jean par de Ternay et d'Haussonville à l'été 1762 prouve, une fois de plus, que cette base doit être mieux protégée pour pouvoir jouer son rôle dans la défense des intérêts britanniques sur l'Atlantique Nord.

Malgré les leçons que les Anglais ont pu tirer de la guerre, la paix met vite un terme à toutes les améliorations apportées tant à Saint-Jean qu'à Halifax. À Saint-Jean, les Anglais se sont toujours fiés à des batteries placées de chaque côté des Narrows et au fort William, situé face aux Narrows sur une hauteur de la ville. Ils n'ont jamais tenté d'exploiter la position stratégique de Signal Hill, haute colline qui s'élève en pente raide du côté nord des Narrows et domine entièrement le port et la ville. Les événements de l'été 1762 ont partout démontré son importance vitale tant sur le plan offensif que défensif. Après avoir escaladé le dangereux versant abrupt et pris possession de la colline, les troupes d'Amherst ont dirigé leur tir sur les navires français et les défenses côtières, ce qui a contraint très vite d'Haussonville à capituler sans condition. La morale de cette attaque est évidente, mais les Anglais, au cours de la période de détente qui suit la paix, sont peu disposés à tirer profit de la leçon. Ils établissent finalement une troisième batterie, à Chain Rock, sur le côté nord des Narrows, mais leur effort s'arrête là.

Halifax, malgré sa très grande importance stratégique, n'échappe pas non plus à ce laisser-aller. Son port, tout en étant beaucoup plus grand que celui de Saint-Jean, est d'accès plus facile et d'une configuration beaucoup plus complexe. L'île MacNab, qui s'avance dans la mer comme un gros bastion naturel, divise l'entrée en deux chenaux. Au nord de cette énorme obstruction, l'entrée se partage encore en une voie principale, qui se rend au-delà du port et de la petite île Georges jusqu'au bassin Bedford, et en une ramification secondaire, mais très importante, qui s'étend vers l'intérieur au-delà de la ville et de ses fortifications centrales. Le bras nord-ouest constitue donc un point faible car un envahisseur pourrait le remonter et contourner le gros des défenses de la ville. Par contre, son entrée est étroite et située du côté occidental du chenal principal, où la ville doit normalement concentrer sa défense. Quant au chenal à l'est de l'île MacNab, il n'est pratiquement pas navigable. Les mesures de défense peuvent donc être axées surtout sur l'entrée du bras nord-ouest, du côté occidental de l'île MacNab, et sur l'île Georges, située au milieu du courant, en face de la ville. À tous ces points stratégiques, on installe des batteries qui ne sont, en fait, que des éléments défensifs secondaires. Le principal foyer de défense est la citadelle au sommet de la haute colline qui constitue la principale caractéristique de la ville.

L'horloge de Halifax, érigée en 1803 au pied

de la citadelle, est la garante de la ponctualité des soldats et des citoyens.

La redoute York, maillon vital des défenses de Halifax. Dessin d'un officier britannique, effectué dans les années 1830 à partir de Sleepy Cove.

La première citadelle est le plus gros d'une série de cinq forts reliés par des palissades qui entourent l'établissement initial et le port dans une zone de défense en forme de fer à cheval. D'autre part, trois batteries assurent la protection de la zone côtière. Ces premières défenses intérieures ont été construites à la hâte en 1749-1750, au moment de la fondation de Halifax et, quelque dix ans plus tard, en 1761, elles ne sont plus d'aucune utilité. La ville s'étend alors au-delà des remparts, et les palissades ainsi que les plates-formes supportant les canons sont fort délabrées. Il est temps de songer à un réaménagement complet des fortifications et, pendant un certain temps, il semble que le major-général Bastide, chargé des plans et de la construction, apportera des changements considérables. Il s'occupe d'abord de la défense de l'entrée du bras nord-ouest, installe une nouvelle batterie côtière en face de l'île Georges et conçoit un système complexe d'ouvrages en terre au sommet et sur les flancs de la colline de la citadelle. Il aurait peut-être poussé plus loin les travaux, car il a d'autres projets en tête. En 1762, cependant, lorsque la paix et l'expulsion des Français de l'Amérique du Nord ne font plus aucun doute, les travaux sont brusquement suspendus.

PENDANT LES DOUZE ANS qui suivent la paix durable de 1763, les défenses de Terre-Neuve et de la Nouvelle-Écosse, laissées dans un calme abandon, tombent peu à peu en décrépitude. L'éclatement de la guerre de l'Indépendance américaine en 1775 marque la fin de cette fausse sécurité et met au jour, plus brutalement que ne l'avaient fait les autres guerres, leurs faiblesses fondamentales.

Depuis nombre de générations, les deux colonies septentrionales n'ont connu qu'un seul grand adversaire, la France. La révolte américaine fait naître une coalition d'ennemis et un danger beaucoup plus immédiat et constant que jamais auparavant. Les Treize Colonies ont souvent dans le passé apporté un appui solide à la Grande-Bretagne dans sa longue lutte contre la France; mais

Vue du sombre intérieur de la tour Martello du Prince-de-Galles à Point Pleasant, près de Halifax.

aujourd'hui, la France et l'Espagne se joignent aux Treize Colonies pour attaquer la Grande-Bretagne. Après 1778, celle-ci se bat autant pour sauver sa propre existence que pour garder son Empire colonial. Pour la première fois depuis près d'un siècle, elle fait maintenant face à des adversaires assez puissants pour mettre en péril les assises mêmes de son Empire, sa suprématie navale. Tandis que la marine britannique s'est sérieusement affaiblie depuis 1763, la France, sous Louis XV et un groupe de ministres énergiques et enthousiastes, a remarquablement recouvré sa puissance navale. En 1780, les vaisseaux de ligne français sont presque aussi nombreux que les vaisseaux britanniques. Les flottes conjuguées de la France et de l'Espagne sont nettement supérieures en nombre à la marine britannique.

Malgré cette coalition redoutable et la supériorité de ses adversaires, la Grande-Bretagne lutte avec acharnement pour conserver tout son Empire. C'est une tâche trop lourde et elle doit y renoncer après la capitulation de Cornwallis à Yorktown devant une flotte française et une armée américaine. Néanmoins, pendant six ans, elle a poursuivi désespérément la lutte, et, pendant ces six années, chaque port de l'Empire britannique en Amérique du Nord en a subi le grave contrecoup. On avait toujours cru sans le moindre doute que la marine britannique suffisait à protéger les colonies, que ce soit sur les îles ou sur le continent du Nouveau Monde, mais l'étrange et terrible guerre

Le rempart de la citadelle de Halifax, à l'apogée de sa gloire. Photographie des années 1860.

qui éclate en 1775 ne tarde pas à démontrer que la flotte ne peut assurer le maintien de la Grande-Bretagne même dans la zone côtière de l'Atlantique. Pendant l'hiver 1776, l'armée britannique évacue Boston, tout comme elle s'est retirée de Montréal l'année précédente. Halifax et Saint-Jean seront-ils bientôt réduits au même sort? Des bateaux corsaires américains envahissent la péninsule Avalon à Terre-Neuve; ils pillent également les ports de Nouvelle-Écosse avec une efficacité féroce. Protection et sécurité sont inexistantes et il semble, tout au moins en Nouvelle-Écosse, que le peu de loyauté qui subsiste envers l'Empire soit sur le point de disparaître.

La majorité des cultivateurs et des pêcheurs qui se sont installés dans la péninsule de la Nouvelle-Écosse depuis 1763 sont des immigrants de Nouvelle-Angleterre, et un grand nombre d'entre eux sont portés à témoigner à leurs amis et parents révolutionnaires du Sud une certaine indifférence mêlée de sympathie. C'est dans l'espoir d'exploiter cette neutralité amicale et de la transformer en un zèle réel pour la cause des rebelles que Jonathan Eddy et les citoyens de Machias (Maine) lancent, en 1776, une attaque terrestre contre la frontière ouest de la Nouvelle-Écosse. À force de menaces, Eddy réussit à inciter certains colons hésitants de l'estuaire de la rivière Saint-Jean et du comté de Cumberland à se joindre à lui. Mais le fort Cumberland refuse obstinément de se rendre et, lorsque des renforts arrivent de Halifax, les forces disparates d'Eddy se dispersent rapidement. Cette petite victoire frontalière est rassurante, mais elle ne peut dissiper l'obsession d'une grande invasion terrestre et maritime. En 1778, quand la France entre en guerre du côté des colonies révoltées, cette crainte se concrétise davantage car le bruit court que le célèbre amiral français, le comte d'Estaing, est sur le point d'attaquer Halifax ou Saint-Jean.

Halifax, où l'armée britannique a été transportée en 1776, devient pendant un court laps de temps la principale base des opérations britanniques sur le continent. À Terre-Neuve, depuis qu'en 1772 la garnison de Placentia a été considérablement réduite, Saint-Jean demeure la seule défense importante. Tout comme New York, où les Britanniques s'implantent bientôt solidement, ces deux petites villes apparaissent comme les seuls centres fortifiés qui subsistent de la puissance impériale dans l'Atlantique Nord. Leurs défenseurs tentent, à une vitesse effrénée et avec une énergie débordante, de réparer les dégradations causées par la négligence et le temps. À Halifax, ils augmentent le nombre de batteries, améliorent les ouvrages en terre sur la colline de la citadelle et couronnent celle-ci d'une tour octogonale en bois, entourée d'une redoute carrée. À Saint-Jean, les autorités envisagent de fortifier les collines Gibbet et Signal, mais remettent ces travaux à plus tard. En plus de placer une batterie à Cuckold Cove au nord-est, elles concentrent leurs efforts sur l'entrée du port et la ville. Elles construisent, du côté sud et escarpé des Narrows, le fort Amherst avec une redoutable batterie de canons et, sur les hauteurs surplombant la ville, un autre fort, le Townshend, face à l'entrée du port.

Ces ouvrages, surtout ceux de Halifax, sont construits à la hâte, selon les besoins, et non selon un plan général bien réfléchi. Cependant, la grande attaque redoutée qui aurait permis de mettre au jour leurs graves défauts et d'en tirer parti n'aura jamais lieu. Les futurs États-Unis sont évidemment assez empressés d'acquérir les colonies côtières et Québec. Par contre, la France utilise sa nouvelle flotte pour la capture d'îles sucrières dans les Antilles et ne manifeste aucun désir de recouvrer l'Acadie et le Canada. Cette résignation à la perte permanente de ses possessions septentrionales ne signifie nullement qu'elle est disposée à aider les Treize Colonies à s'en emparer. Aucune grande invasion franco-américaine ne se produit et, progressivement, la marine britannique écrase les bâtiments corsaires et reprend la maîtrise de la baie de Fundy, de la rive sud de la Nouvelle-Écosse, du golfe Saint-Laurent et des eaux de Terre-Neuve.

Si la guerre a causé de grands ravages dans les colonies côtières, la paix ne leur apporte pas la sécurité et la tranquillité. Le traité de Paris de 1783 confirme leur appartenance à l'Empire britannique; il se traduit, avec l'arrivée des Loyalistes, par un apport considérable de population et la création d'une nouvelle province, le Nouveau-Brunswick. La paix est promesse d'expansion territoriale et de croissance économique, mais au lieu de mettre un terme aux rivalités internationales qui, pendant des générations et des siècles, ont déchiré la côte nord-est de l'Amérique du

Les canons britanniques défendent les Narrows à Saint-Jean, en 1786.

Nord, le traité de 1783 en assure littéralement la continuation.

À l'ouest de la rivière Sainte-Croix existe maintenant une nouvelle puissance étrangère, les futurs États-Unis. Les droits et les privilèges que cette république a acquis à Paris ne s'arrêtent pas à la nouvelle frontière internationale. Les négociateurs américains ont réussi à obtenir des concessions inouïes auprès des autorités britanniques excédées par la guerre et toutes disposées à se concilier l'amitié de leurs anciennes colonies. Dans l'intérieur, elles renoncent à toute la zone sud-ouest de l'empire du Saint-Laurent. Sur les côtes de l'Atlantique, des droits et privilèges de pêche, dont la valeur égale presque de véritables concessions territoriales, sont généreusement accordés à la fois aux anciens et aux nouveaux ennemis de la Grande-Bretagne. Sur les côtes nord et ouest de Terre-Neuve, les droits, déjà acquis par la France en 1713 et conférés à nouveau par traité, couvrent une zone plus éloignée du principal territoire de pêche des Britanniques, mais néanmoins plus longue. Les pêcheurs américains gagnent non seulement le droit de pêcher dans les eaux anglo-américaines, mais aussi dans les eaux côtières de Terre-Neuve et de la Nouvelle-Écosse, en plus

d'obtenir le privilège de débarquer, sécher et traiter leurs prises dans les baies inhabitées et les anses de la Nouvelle-Écosse, du Labrador et des îles de la Madeleine. Le traité de 1783 donne donc aux rebelles victorieux une part d'une grande richesse naturelle des Loyalistes et ajoute un autre sujet de discorde aux anciennes rivalités dans l'Atlantique Nord.

Dix années plus tard, ce n'est pas une nouvelle république en Amérique du Nord mais une république encore plus jeune en Europe qui menace les défenses du petit groupe de colonies atlantiques. En 1793, la Grande-Bretagne se voit entraînée dans la lutte contre la France révolutionnaire; pendant vingt-deux ans, à l'exception d'un bref intervalle, toutes ses ressources seront consacrées au dernier et au plus grand de ses conflits avec son ennemi héréditaire. L'Europe occidentale et la Méditerranée sont, évidemment, les principaux théâtres des guerres révolutionnaires et napoléoniennes, et les possessions britanniques dans l'Atlantique Nord ne seront jamais aussi sérieusement menacées qu'elles l'ont été pendant la guerre de l'Indépendance américaine. Bien que les armées de la Révolution française aient acquis rapidement un extraordinaire talent pour gagner les batailles, la

*La tour Cabot, au sommet
de la colline Signal, témoigne
de quatre siècles d'histoire
riche en événements.*

marine française subit des revers dont elle sera longue à se remettre. Le peuple américain sympathise manifestement avec la France et ses représentants deviennent de plus en plus hostiles à l'Angleterre, mais les États-Unis n'entrent en guerre qu'à la fin du conflit, auquel ils confèrent alors un nouveau caractère. Au début, cependant, l'impossibilité d'évaluer la puissance militaire de la France révolutionnaire la rend d'autant plus dangereuse et les Britanniques ne peuvent préjuger de l'avenir. En 1794, ils reconnaissent l'importance stratégique de l'Amérique du Nord en nommant le quatrième fils de George III, Édouard, duc de Kent, commandant en chef des forces britanniques. Très intransigeant, le prince Édouard prend ses nouvelles responsabilités à coeur. Il ne se contente pas uniquement de léguer son nom à l'ancienne île Saint-Jean comme témoignage de son passage dans les provinces atlantiques, mais réorganise complètement leurs défenses.

Même le fort Anne d'Annapolis Royal, longtemps négligé, reçoit sa part d'améliorations; cependant, les Britanniques consacrent à Saint-Jean et à Halifax le gros de leurs projets, de leurs efforts et de leurs ressources financières. À Halifax, ils suivent un plan déjà bien établi. En revanche, à Saint-Jean, dans le cadre d'une réorganisation générale audacieuse, les autorités militaires commencent enfin à fortifier le sommet de la grande colline au nord de l'entrée du port. Elles renforcent aussi les défenses au niveau de la mer et sur les escarpements des Narrows. La grande réalisation de ces années de construction intense, qui

s'étendent de 1795 à 1798, est l'installation d'une série de batteries puissantes et de bâtiments auxiliaires tout au faîte de la colline Signal et à mi-hauteur de la colline Gibbet. À Halifax, les nouveaux ouvrages de défense sont moins originaux du point de vue stratégique, mais plus impressionnants par leur ampleur. La construction de la redoute York en 1793 pousse les défenses côtières du chenal ouest plus au sud vers la mer. En 1796, un fort circulaire, la tour du Prince-de-Galles, renforce la protection de Point Pleasant, pointe de terre qui occupe une position stratégique à l'entrée du bras nord-ouest; sur l'île Georges, que le prince Édouard considère comme idéale pour la défense du port, un fort entièrement nouveau, en forme d'étoile, s'ajoute aux batteries côtières de la ville et augmente les possibilités de contre-attaque à partir du chenal. Les flancs et le sommet de la colline de la citadelle sont aussi entièrement transformés. Les ingénieurs d'Édouard enlèvent les retranchements du glacis, abaissent le haut de la colline de quinze pieds et, sur ce plateau, construisent un ouvrage de terre rectangulaire, plus petit et recouvert de madriers et de fascines, avec un bastion à chaque angle.

Retranchés dans leurs nouveaux ouvrages de défense, Britanniques et Loyalistes attendent avec une certaine confiance des attaques qui ne viendront jamais. Les rumeurs d'une invasion imminente persistent; elles ne se concrétisent qu'une seule fois, lorsque la flotte de l'amiral Richery apparaît au large de la côte est de la péninsule, mais elle se retire sans attaquer Saint-Jean. Tant que les États-Unis restent neutres, il est improbable que les calamités de la guerre de l'Indépendance se répètent, et les Britanniques ne ménagent aucun effort pour s'assurer cette neutralité. Dans le traité de Jay de 1794, ils vont même jusqu'à

Saint-Jean, en 1786. Un grand stratège a affirmé que c'était la position stratégique la plus avantageuse qu'il ait jamais vue.

rompre le monopole commercial de la Couronne en permettant aux navires américains d'entrer dans les ports des Antilles. Cette politique d'apaisement réussit pendant un certain temps, mais après 1803, alors que la guerre contre la France reprend et que Napoléon et le gouvernement britannique établissent à tour de rôle un blocus, le ressentiment américain s'accroît rapidement envers les deux grands ennemis européens, et en particulier la Grande-Bretagne. Les Américains, tentant désespérément de contre-attaquer, ne trouvent rien de mieux que d'adopter les mesures de leurs oppresseurs et s'imposent eux-mêmes un blocus. Les lois interdisant le commerce ruinent pratiquement les commerçants de la Nouvelle-Angleterre et font passer la majeure partie des échanges de la côte atlantique dans les mains avides des marchands de Halifax et de Saint-Jean. Dès 1812, ces mesures commerciales draconiennes se révèlent absolument inutiles. Comme la colère des Américains est toujours aussi profonde, le président Madison décide d'essayer une autre tactique. Les États-Unis déclarent la guerre.

Une fois de plus, la France et la République américaine combattent leur vieil ennemi commun, mais elles ne deviennent jamais des alliées et leur

collaboration n'est pas aussi efficace que pendant la guerre de la Révolution. En 1805, Trafalgar anéantit les flottes conjuguées de la France et de l'Espagne, et la Grande-Bretagne réaffirme ainsi sa suprématie navale. Une invasion américaine de la Nouvelle-Écosse est impensable, car la minuscule flotte américaine n'ose risquer un affrontement majeur. Il ne saurait non plus être question d'une attaque terrestre contre le Nouveau-Brunswick en passant par le Maine, parce que toute la Nouvelle-Angleterre s'oppose définitivement à une guerre qui a été, à ce qu'on prétend, déclarée en son nom. Sur la côte atlantique, la Guerre de 1812 n'est donc pas une guerre terrestre ni même, à proprement parler, une guerre navale puisque flottes ou escadres ne s'affrontent jamais. Il faut mentionner toutefois quelques combats singuliers comme le fameux duel entre le *Shannon* et le *Chesapeake*. Mais tant chez les Loyalistes que chez les Américains, les luttes de la guerre de 1812 se réduisent presque invariablement à la guerre de course en haute mer ou le long des côtes.

Les navires marchands ou les corsaires ennemis sont les seules proies; comme les deux parties, contrairement à la génération précédente, ne se livrent pas au pillage des ports et des villages de

pêche, il semble moins urgent qu'autrefois d'améliorer les défenses côtières. Un plan détaillé pour le remplacement des faibles défenses en bois de la colline Signal par des installations plus étendues et plus solides est dressé, mais ne sera jamais exécuté. À Halifax, un nouveau fort circulaire entouré d'un parapet remplace le fort Charlotte, en forme d'étoile, sur l'île Georges. Par ailleurs, tous s'accordent à penser qu'il suffit de réparer grossièrement les autres ouvrages, notamment la citadelle. Dans l'ensemble, le petit groupe de provinces britanniques de l'Atlantique doit, comme par le passé, se fier à la protection de la marine britannique. Vers la fin de la guerre, le Royal Engineers construit un fort circulaire sur une colline escarpée à l'extrémité ouest du port de Saint-Jean, mais la frontière ouest du Nouveau-Brunswick, qui, évidemment, est la frontière internationale entre l'Amérique britannique du Nord et les États-Unis, n'est protégée par aucun ouvrage. Il n'est pas surprenant que, lors de la déclaration de guerre des États-Unis, les citoyens de la ville frontalière de St. Andrews se sentent terriblement isolés et en danger; aussi, suivant les conseils d'un officier de la milice provinciale, construisent-ils à leurs frais trois blockhaus, deux sur la côte aux entrées ouest et est du port et un troisième au centre, sur une hauteur dominant la ville.

Fortifications en ruine près de la colline Signal. Au loin, la tour Cabot.

LE TRAITÉ DE GAND, qui met un terme à la Guerre de 1812, ouvre une ère tout à fait nouvelle dans l'histoire des défenses côtières de l'Amérique britannique du Nord. Jusqu'alors, il n'y a eu qu'une seule côte océanique à protéger, mais depuis que les traitants de fourrures, Mackenzie, Fraser et Thompson, ont atteint le Pacifique, il y en a deux. La lutte entre la Russie, les États-Unis et la Grande-Bretagne pour s'emparer des immenses droits territoriaux que l'Espagne tente, sans fondement réel, de faire valoir sur la côte du Pacifique, revêt une importance énorme pour l'avenir de l'Amérique britannique du Nord. En 1815, elle est à peine amorcée et, dans l'intervalle, les séquelles de la guerre et de la paix ont transformé complètement la destinée des provinces atlantiques.

Le commerce illégal de produits britanniques avec les États de la Nouvelle-Angleterre, grâce à la complicité bienveillante des autorités, apporte en temps de guerre la prospérité aux marchands de Halifax et de Saint-Jean; d'autre part, le nouveau commerce protégé du bois équarri avec la Grande-Bretagne fait du nord du Nouveau-Brunswick une vaste région de bon rapport. La vie précaire et tourmentée du XVIIIe siècle est terminée. Plus que jamais auparavant, les provinces atlantiques sont populeuses, prospères, confiantes en leur avenir et conscientes de leur identité collective en tant que partie intégrante de l'Empire britannique.

Les règles internationales qu'elles doivent respecter leur sont maintenant plus favorables. La Guerre de 1812 abroge à la fois le traité de Jay et les clauses du traité de Paris de 1783 portant sur la pêche. Pendant un certain temps, les provinces atlantiques jouissent des anciens droits préférentiels et des monopoles commerciaux de l'Empire britannique, auxquels viennent s'ajouter quelques nouveaux privilèges fort précieux. L'empiétement le plus grave sur leurs droits de propriété, c'est-à-dire l'incroyable «privilège» accordé aux Américains de pêcher dans les eaux côtières de la Nouvelle-Écosse (l'immense province dans son intégrité de 1783) et de débarquer, sécher et traiter leurs prises dans les baies et les anses inhabitées, est désormais aboli. Les Américains ont scandaleusement abusé de ce privilège, débarquant là où

Les Russes sur la côte du Pacifique Nord, dans les aussi vitale que le commerce.

bon leur semblait, que la région soit habitée ou non; or le nouveau traité commercial anglo-américain, la Convention de 1818, permet à leurs bateaux de pêche de franchir la limite de trois milles uniquement pour se procurer du bois et de l'eau, chercher un abri ou réparer leurs embarcations. Terre-Neuve et le Labrador, qui n'ont pas encore de gouvernement représentatif ni aucun moyen de faire valoir leurs intérêts, ne bénéficient d'aucune protection semblable. En vertu de la Convention de 1818, les Américains ont le droit de pêcher le long d'une vaste bande des côtes ouest et nord de Terre-Neuve et au large de presque tout le littoral du Labrador et des îles de la Madeleine. La double malédiction d'une «côte française» et d'une «côte américaine» frappe aujourd'hui Terre-Neuve. Les rivalités internationales de la pêche vont donc se prolonger dans l'île qui en a été la principale victime.

L'avenir de la Nouvelle-Écosse, du Nouveau-Brunswick et de l'île du Prince-Édouard est moins sombre. La paix garantit leurs droits de propriété, leur laisse entrevoir de brillantes perspectives et

années 1790. La souveraineté devait bientôt devenir

leur apporte un sentiment de sécurité. L'idée curieuse dont se sont naïvement nourris les Canadiens au début du XXᵉ siècle, et selon laquelle le traité de Gand a inauguré un siècle de paix entre le futur Canada et les États-Unis, aurait semblé une notion absurde, sinon insensée, aux habitants de la Nouvelle-Écosse et du Nouveau-Brunswick en 1815. La Grande-Bretagne continue de considérer les provinces de l'Amérique britannique du Nord comme des parties essentielles de son Empire qu'elle doit préserver à tout prix. En fait, après 1815, elle consacre beaucoup plus de temps, de soins et d'argent à leurs défenses que jamais auparavant.

A Halifax, une quatrième citadelle, considérablement agrandie, plus puissante et beaucoup plus coûteuse que les trois précédentes, affirme une fois de plus l'importance de la Nouvelle-Écosse au sein de l'Empire britannique. La nouvelle forteresse, comme tous les grands ouvrages d'après-guerre du Haut et du Bas-Canada, n'est pas construite en terre et en bois, mais en maçonnerie. Les Britanniques abaissent la colline de la citadelle à une hauteur de 225 pieds au-dessus du niveau de la mer. Son sommet est maintenant un plateau plat et uni où le Royal Sappers and Miners construit un grand ouvrage de défense, rectangulaire, avec des demi-lunes sur trois côtés et un redan face au port. Le glacis entourant la forteresse est débarrassé de ses aspérités et ses versants symétriques laissent le champ libre au tir des canons sur les remparts. La construction de ces nouvelles fortifications démarre en 1828 et ne se termine qu'en 1856. Les derniers ouvrages en pierre sur la colline Signal, à Saint-Jean, notamment les casernes et l'hôpital, sont également construits dans les années 1840 et au début des années 1850.

Nul ne pouvait prévoir à l'époque qu'il s'agissait là de la dernière grande période de construction de défenses côtières sur l'Atlantique. En 1856, la quatrième citadelle de Halifax compte une trentaine d'années d'existence et voilà plus de quarante ans que le traité de Gand a mis fin à la Guerre de 1812. Cette période est d'une importance cruciale dans l'histoire de l'Empire britannique et de l'Amérique britannique du Nord; lorsqu'elle se termine en 1856, la réorganisation radicale du régime impérial britannique, encore embryonnaire en 1828, a abouti à sa conclusion logique. La Grande-Bretagne s'est prononcée en faveur du libre-échange et les colonies nord-américaines ont obtenu le régime parlementaire. Les tarifs préférentiels de l'Empire et les monopoles du transport n'existent plus, et le contrôle des affaires intérieures des provinces a lui aussi pratiquement disparu. Les provinces de l'Amérique britannique du Nord tentent de remplacer favorablement leurs anciens marchés protégés de l'Empire britannique par de nouveaux débouchés aux États-Unis. En Europe, la Grande-Bretagne se fait de nouveaux alliés et de nouveaux ennemis. En 1853, par exemple, elle se joint à la France, son ennemie héréditaire, dans six grandes guerres sur l'Atlantique Nord pour défendre la Turquie contre la Russie.

Tous ces changements révolutionnaires ne manquent pas de se répercuter sur les colonies septentrionales, de modifier les relations avec la Grande-Bretagne et les puissances étrangères et, conséquence inévitable, de transformer la défense côtière. Il y a maintenant une côte ouest, en plus d'une côte est, car l'Amérique britannique du Nord a pris les dimensions d'un continent. En 1846, le traité de l'Orégon met fin à la longue lutte entre la Grande-Bretagne et les États-Unis pour le littoral du Pacifique. Le 49e parallèle est prolongé pour former la frontière internationale jusqu'à l'océan, et la Grande-Bretagne acquiert la totalité de l'île Vancouver. Il y a maintenant des sujets, des droits territoriaux et des intérêts anglo-américains sur le littoral des deux océans; aussi, les opérations de la Marine royale prennent-elles plus d'ampleur. En 1847, des navires britanniques font un relevé hydrographique des ports d'Esquimalt et de Victoria et, pendant la guerre de Crimée, utilisent Esquimalt comme base de ravitaillement. Au début des années 1850, ils font la chasse aux bateaux de pêche américains qui s'aventurent illégalement à l'intérieur de la limite de trois milles, sur la côte est. Pour la Nouvelle-Écosse et le Nouveau-Brunswick, la pêche côtière est un atout précieux dont ils entendent tirer profit dans la négociation d'un traité commercial avec les États-Unis. Les saisies de la Marine royale font bien comprendre que le privilège de pêcher dans les eaux américano-britanniques devra se payer.

La dernière obligation que le second Empire britannique doit encore assumer est la défense de ses territoires nord-américains. Jusqu'au milieu du XIXe siècle, la Grande-Bretagne supporte à elle seule la quasi-totalité du fardeau, mais avec de moins en moins d'empressement. Lorsque la guerre de Sécession éclate en 1861, elle se voit forcée de faire un dernier effort pour la défense de l'Amérique britannique. Après une année de conflit, la Grande-Bretagne et les États-Unis sont près de s'affronter; une seconde guerre est évitée, mais les relations restent tendues entre les deux pays pendant le reste de la décennie. À l'hiver de 1861-1862, au moment de l'incident du *Trent*, la Grande-Bretagne fait une rentrée militaire en Amérique du Nord avec des forces plus considérables que celles qu'elle avait mobilisées au plus fort de la guerre de Sept Ans. Par la suite, elle réduit ses effectifs, mais en 1866, elle envoie de nouveaux renforts pour repousser les incursions des Féniens. Rien n'est fait pour améliorer les défenses intérieures de Halifax, étant donné que les nouveaux canons rayés, à plus longue portée,

La pointe nord-est de la citadelle de Halifax.

Commencé en 1895, le fort Rodd Hill comprenait trois batteries qui furent modernisées et augmentées au rythme de l'évolution des techniques d'attaque et de défense.

plus précis et au tir plus puissant, ont sonné le glas des forteresses polygonales comme la citadelle. À Point Pleasant, en revanche, sur la deuxième ligne de défense, la poudrière de la tour du Prince-de-Galles est considérablement agrandie et ses murs sont renforcés à la partie supérieure par quatre galeries en encorbellement avec des ouvertures dans les planchers pour tirer vers le bas sur les attaquants. Enfin, plus au large, sur la troisième ligne de défense, la redoute York est équipée de onze nouveaux canons rayés se chargeant par la bouche. Halifax connaît plusieurs moments d'angoisse pendant et après la guerre de Sécession. Le plus dramatique se situe peut-être en 1866, lorsque Sir James Hope, à bord de son vaisseau amiral *H.M.S. Duncan*, avec quatre-vingt-un canons, plusieurs batteries de l'Artillerie royale et sept cents hommes du régiment East Yorkshire, s'embarque pour la baie Passamaquoddy dans le dessein d'intimider les Féniens qui se sont rassemblés sur la côte du Maine.

La Grande-Bretagne a certes consenti beaucoup d'efforts et de dépenses, mais avec de plus en plus de réticences et non sans soulever des protestations. Alors qu'elle a renoncé aux avantages économiques et à la plupart des droits politiques de l'Empire, le coût élevé de la défense coloniale paraît un vestige aberrant et injustifié d'une ère révolue. Elle entreprend donc avec détermination une campagne pour persuader l'Amérique britannique d'assumer elle-même sa protection. Cette tâche longue et difficile est interrompue par la guerre civile américaine et les controverses qui viennent s'y greffer. Tant qu'un accord anglo-américain n'aura pas mis fin à ces disputes, le retrait des militaires britanniques de l'Amérique du Nord doit être différé. Le gouvernement britannique poursuit néanmoins ses efforts pour déléguer ses principales responsabilités aux colonies qui, à ses yeux, sont en mesure de les assumer. Il donne tout son appui à la réalisation de la Confédération canadienne en 1867; quatre ans plus tard, à Washington, il signe un accord avec les États-Unis sur tous les points en litige de la guerre civile. Avant la fin de 1871, les derniers soldats britanniques se retirent de Saint-Jean et de Québec.

La Grande-Bretagne conserve les bases de Halifax et d'Esquimalt, cette dernière étant devenue sa base navale du Pacifique Nord en 1865.

Rappeler les garnisons et conserver des bases navales, voilà un geste bien caractéristique de l'Empire britannique, dont le système de défense s'est toujours fondé davantage sur la Marine royale que sur les forts et les soldats. La Grande-Bretagne se reconnaît encore l'obligation de défendre l'intégrité de l'Empire et continue d'améliorer ses installations côtières selon l'évolution du matériel de guerre et de ses plans de défense. À Halifax, la troisième ligne de protection, c'est-à-dire la redoute York sur l'une des rives du chenal et les forts de l'île MacNab sur l'autre, est constamment renforcée. Une nouvelle batterie, à un demi-mille au large de la redoute York, marque le début d'une quatrième ligne de défense; partout, des canons se chargeant par la culasse remplacent les anciens canons. Sur la côte ouest, deux années après l'achèvement de la voie ferroviaire du Pacifique canadien, le gouvernement britannique décide d'améliorer la base navale d'Esquimalt et d'y agrandir ses installations par l'adjonction d'un bassin de radoub.

C'est sur le contribuable britannique que retombe le coût de ces installations. Puis, alors que le siècle touche à sa fin et que le fardeau des bases navales d'outre-mer se fait de plus en plus lourd, le gouvernement britannique accélère la dernière phase de la passation de ses pouvoirs en matière de défense; il délègue ses responsabilités à l'égard des installations côtières à ses colonies importantes. C'est en 1878 que le Canada prend conscience pour la première fois de cette nouvelle obligation, au moment où il y a menace de guerre avec la Russie. Pour défendre Esquimalt et Victoria, le gouvernement canadien installe, derrière de simples ouvrages de terre, quatre batteries de gros canons rayés se chargeant par la bouche. Treize ans plus tard, la Grande-Bretagne et le Canada s'entendent pour partager le coût du remplacement de ces défenses désuètes par de nouvelles fortifications et de l'équipement moderne. L'un de

ces nouveaux forts, équipé de deux batteries de canons de six pouces se chargeant par la bouche et à affût escamotable ainsi que d'une batterie de canons de 12 à tir rapide, est désigné sous le nom de fort Rodd Hill, d'après John Rashleigh Rodd, premier lieutenant du *H.M.S Fisgard* au moment du relevé du port d'Esquimalt par la Marine royale en 1847.

En 1904, la Grande-Bretagne arrive au dénouement logique de son retrait progressif des opérations de défense de l'Amérique du Nord. Plus de trente ans après le rappel des garnisons du centre du Canada, elle décide d'abandonner ses bases navales dans l'Atlantique et le Pacifique Nord et de concentrer sa flotte dans ses eaux territoriales. Au cours des années qui suivent, elle remet au Canada les fortifications et le matériel de défense de Halifax et d'Esquimalt; or, le gouvernement qui en a désormais la charge n'est pas prêt à en assurer l'entretien et n'a même pas décidé quel est le meilleur système de défense de ses côtes.

Lorsque la Première Guerre mondiale éclate, le Canada possède une marine encore embryonnaire et ses défenses côtières n'ont pratiquement pas été modifiées depuis le départ des Britanniques. La guerre ne règle pas la question d'une force navale canadienne, mais elle donne au pays conscience de sa maturité et de ses responsabilités. Halifax, principal centre pour le transport et l'escorte des soldats, des munitions et des approvisionnements, joue un rôle aussi grand qu'à tout autre moment de sa longue histoire. Au cours de l'entre-deux-guerres, lorsque le Canada commence enfin, très lentement, à mettre sur pied ses forces navales et aériennes, toute la question de la défense des côtes se modifie radicalement. Les gros canons sont déplacés plus au large et les avions, les champs de mines et les canons antiaériens remplacent désormais les forts, les tours et les batteries britanniques.

5 La guerre

Les troupes de Brock attaquent les Américains à Queenston, le 13 octobre 1812. Depuis

des frontières

des semaines, le sort du Haut-Canada est en suspens. Il reste à gagner la guerre sur les lacs.

'EST la démarcation des territoires qui donne naissance à la guerre des frontières. Les Français ont essayé de concrétiser leurs prétentions territoriales très ambitieuses aussi bien en Nouvelle-France qu'en Acadie. Le traité d'Utrecht les a contraints à céder la baie d'Hudson, Terre-Neuve et la péninsule de la Nouvelle-Écosse, mais ils poursuivent la lutte pour conserver les îles du golfe Saint-Laurent, le territoire acadien au nord de la baie de Fundy, la voie d'eau du Richelieu et du lac Champlain, la rive sud du bassin inférieur des Grands Lacs, et enfin, la vallée de l'Ohio, lien vital entre le Saint-Laurent et le Mississippi. Leurs efforts tenaces pour garder ce vaste domaine persistent un demi-siècle après la signature du traité d'Utrecht. Ils aboutissent non pas à la division de l'Amérique du Nord entre les deux grands empires de France et d'Angleterre, mais à la défaite totale et à l'expulsion de l'un des adversaires, la France.

Désormais souveraine sur toute la côte de l'Atlantique Nord, la Grande-Bretagne trace la première frontière entre ce qui a été la Nouvelle-France et l'ancienne Amérique britannique et crée une nouvelle colonie appelée Québec sur les rives du Saint-Laurent. De par ses limites, fixées par la Proclamation royale de 1763, cette colonie n'est plus qu'une parcelle du grand royaume que Montcalm a vainement tenté de défendre. Sa frontière sud commence à la baie des Chaleurs, suit les hauteurs qui sépa-rent les affluents du Saint-Laurent des rivières qui se jettent dans l'Atlantique, longe le 45e parallèle jusqu'à un point sur le Saint-Laurent légèrement à l'ouest de son confluent avec l'Outaouais, puis s'étend vers le nord-ouest jusqu'au lac Nipissing. La Nouvelle-France se voit ainsi amputée de la totalité de l'ancienne Acadie et de la moitié de la vallée du Richelieu et du lac Champlain au profit de la Nouvelle-Écosse et des colonies de la Nouvelle-Angleterre. Fait encore plus grave, tout l'arrière-pays occidental de la Nouvelle-France, le Haut-Saint-Laurent, les Grands Lacs et les plaines de l'Ouest, que les Français ont exploré et dont ils ont monopolisé le commerce, est détaché pour former une immense réserve indienne.

Cette première frontière, qui défie la géographie et renie l'histoire, ne durera que onze années. Les Britanniques, qui ont établi la réserve indienne sous l'égide de l'Empire, se trouvent dans l'impossibilité de la financer et de la gérer; aussi, en 1774, l'Acte de Québec restitue-t-il la région occidentale de la traite des fourrures à la colonie qui l'a découverte et exploitée. À l'est, l'Acte confirme simplement la frontière déjà fixée par la Proclamation royale, mais plus à l'ouest, la nouvelle frontière, au lieu de virer vers le nord à l'intersection du 45e parallèle et du Saint-Laurent, continue à suivre le Saint-Laurent ainsi que la rive sud des lacs Ontario et Érié et englobe la totalité de l'immense territoire entre l'Ohio et le Mississippi. En réalité, les Britanniques ont reconstitué l'Empire français de

Isaac Brock. Homme compétent et énergique, il consolide la frontière par des attaques surprises.

l'Ouest tel qu'il était à son apogée. Pour les Treize Colonies, sur le point de prendre les armes contre la Grande-Bretagne, le rétablissement de l'ancienne rivale honnie semble un défi et une menace. Au printemps de 1775, les rebelles américains marchent vers le nord par la route traditionnelle du lac Champlain et de la rivière Richelieu pour attaquer leurs ennemis héréditaires du Bas-Saint-Laurent. Saint-Jean, où se concentre le gros des forces britanniques, résiste vaillamment jusqu'à ce que le fort Chambly, situé un peu plus en aval sur le Richelieu, capitule après une brève et faible résistance. Isolée et vulnérable, la ville de Saint-Jean doit également se rendre, libérant ainsi l'accès du Saint-Laurent. Le gouverneur, Sir Guy Carleton, ordonne l'évacuation de Montréal, et début décembre 1775, deux armées américaines commencent le siège de Québec.

Pendant quelques mois, l'identité de la colonie du Saint-Laurent a donc été gravement menacée mais la tentative du «Congrès continental» et de ses armées de constituer un front uni de résistance contre la Grande-Bretagne se solde par un échec complet. Sans artillerie lourde, les Américains ne peuvent battre en brèche les murs de Québec. Leur attaque contre la basse ville avorte lamentablement et l'arrivée d'une escadre anglaise au début de mai 1776 les contraint à faire retraite vers le lac Champlain par le Saint-Laurent et le Richelieu.

L'année suivante, les Britanniques connaissent un sort identique à Saratoga lorsqu'ils tentent d'envahir les colonies rebelles par la même route. Alors que les tentatives d'invasion des armées de métier échouent, les incursions britanniques, soutenues par la plupart des tribus de la Confédération iroquoise, connaissent beaucoup de succès dans le nord de l'État de New York; à la fin de la guerre de la Révolution, les postes de l'Ouest, notamment Niagara, Detroit et Michilimackinac au sud des Grands Lacs, sont encore aux mains des Anglais. Les Treize Colonies obtiennent leur indépendance de l'Angleterre, mais le Québec n'en conserve pas moins son autonomie sur le continent nord-américain et son vaste territoire dans l'Ouest sort indemne du grand bouleversement de l'Empire britannique.

Ces événements ne font qu'accroître la stupeur que produisent au Québec les incroyables clauses du traité de Paris. Celui-ci reconnaît l'indépendance des Treize Colonies et définit également la frontière entre le reste des colonies britanniques et les futurs États-Unis d'Amérique. La nouvelle frontière remonte la rivière Sainte-Croix de la baie de Fundy jusqu'à sa source, puis oblique vers le nord jusqu'aux hauteurs déjà mentionnées dans la Proclamation royale de 1763 et dans l'Acte de Québec. Elle suit ce bassin hydrographique, puis le 45e parallèle jusqu'à la rencontre du Saint-Laurent.

Au-delà de ce point, cependant, le tracé s'écarte brusquement et totalement de la frontière établie dans l'Acte de Québec en 1774. Il s'enfonce vers l'ouest, à travers les Grands Lacs et les rivières qui les relient, jusqu'à l'extrémité nord-ouest du lac Supérieur, emprunte la route de la traite des fourrures jus-

L'aide de Tecumseh est pour les Britanniques
un élément décisif
dans la guerre frontalière de l'Ouest.

Canon sur le parapet du fort George. Ce fort a été recons-truit tel qu'il était avant sa destruction en 1813.

qu'à la pointe nord-ouest du lac des Bois en passant par le lac et la rivière de la Pluie, puis continue plein ouest, théoriquement jusqu'au Mississippi. Cette nouvelle frontière sème la consternation et la colère aussi bien au Québec qu'en Nouvelle-Écosse, les deux dernières colonies britanniques du continent nord-américain. Sur la côte atlantique, la démarcation n'est pas aussi désavantageuse qu'elle aurait pu l'être, même si les pêcheurs américains se voient inconsidérément accorder des privilèges excessifs sur le littoral et les eaux côtières de la Nouvelle-Écosse. C'est beaucoup plus à l'ouest, dans la vallée du Saint-Laurent et la région des Grands Lacs, que la nouvelle frontière apparaît comme une monstrueuse erreur. Sans aucune justification historique ou économique, une ligne est tracée au beau milieu de l'empire du Saint-Laurent; tous les territoires du Sud-Ouest, notamment les forts et les postes encore aux mains des Britanniques, sont cédés aux futurs États-Unis.

Il est assez curieux de constater qu'en dépit de ces concessions extravagantes, l'Angleterre continue d'occuper pendant encore treize ans ses postes de l'Ouest, les clés de ce territoire qu'elle a si lâchement cédé. Ni les États-Unis ni la Grande-Bretagne ne respectent les clauses du Traité de 1783. Les Américains refusent d'indemniser les Loyalistes tout comme ils refusent d'acquitter les dettes britanniques antérieures à la guerre. De leur côté, les Britanniques, qui ont trahi les Indiens et abandonné les marchands de fourrures, prennent conscience de l'énormité de leurs concessions et tentent d'en atténuer les pires conséquences. En différant la cession des postes, ils espèrent conserver un peu plus longtemps leur monopole de la traite des fourrures, apaiser la colère des Indiens, qui se font menaçants, et permettre à ces derniers de négocier de meilleures ententes avec leurs nouveaux maîtres. Cette politique, teintée à la fois d'intérêt personnel et d'altruisme, est vouée à l'échec en raison de la faiblesse croissante des Indiens et de l'irrésistible progression de la frontière américaine. La Grande-Bretagne doit s'incliner et évacuer définitivement, au cours de l'été de 1796, Oswegatchie (Ogdensburg), Oswego, Niagara, Presqu'Île, Detroit et Michilimackinac, ses principaux postes de l'Ouest.

Il est naturellement impensable de laisser la nouvelle province du Haut-Canada sans défense.

On s'empresse de construire de nouveaux forts en territoire canadien, face à ceux qui ont été cédés du côté américain de la frontière. Le fort Saint-Joseph, sur l'île du même nom à l'embouchure de la rivière Sainte-Marie, remplace Michilimackinac, le plus occidental des postes. Le fort Malden ou Amherstburg est édifié sur le Bas-Detroit, face à l'île au Bois-Blanc et quelque peu au sud de l'ancien fort Detroit. Le fort George, situé à environ un mille au nord du lac Ontario, se dresse en face de l'ancien fort Niagara, de l'autre côté de la rivière Niagara. Tous ces ouvrages sont en bois, de conception traditionnelle, dotés d'une enceinte carrée ou rectangulaire qu'entoure une palissade et protégés par au moins quatre bastions. De tels forts ont déjà beaucoup servi la Nouvelle-France et l'Amérique britannique du Nord et leur rôle n'est pas terminé. Le plus imposant des trois ouvrages est sans doute le fort George, équipé de six bastions entièrement construits de gros bois d'oeuvre, un à chaque angle et un au milieu des deux murs les plus longs. Les bastions sont reliés entre eux par un mur de piquets d'une hauteur de douze pieds. Un fossé peu profond entoure toutes les fortifications à l'extérieur, tandis que l'enceinte renferme cinq cassines fortifiées à deux étages, en lourdes pièces équarries.

À la veille de la Guerre de 1812, les ouvrages

Vue du fort George, depuis le fort Niagara sur la rive américaine.

militaires défensifs en Amérique britannique du Nord sont donc loin d'être négligeables. La côte atlantique voit sa protection assurée par la redoutable forteresse et la base navale de Halifax. Québec, dont les fortifications viennent d'être renforcées par la construction de plusieurs tours Martello et d'une nouvelle batterie, garde l'accès par la mer. La longue frontière qui, à travers terres, rivières et lacs, sépare le Haut et le Bas-Canada des États-Unis ne bénéficie pas d'une protection aussi étendue. La route du Richelieu et du lac Champlain est une voie d'accès facile, empruntée successivement par les armées britanniques et américaines qui tentaient de conquérir le Canada, mais à

peu près rien n'est fait pour améliorer ou même entretenir les ouvrages endommagés de l'Île-aux-Noix ou du fort Chambly. Plus à l'ouest, en raison du grand intérêt de la France et de la Grande-Bretagne pour ces territoires, le système défensif se révèle plus fiable. La base navale de Kingston et le fort York de Toronto protègent la rive nord du lac Ontario. L'entrée de la rivière Niagara, liaison vitale entre les lacs Érié et Ontario, est défendue par l'ancien fort Érié, et son embouchure, par le nouveau fort George. Le fort Malden garde la voie de communication entre les lacs Érié et Huron, et le fort Saint-Joseph, celle entre les lacs Huron et Supérieur.

Le mur nord et le fossé près de l'entrée du fort George.

Le fort Malden, base du major-général Brock sur la rivière de Detroit. Détruit par les Américains en 1813, il est reconstruit après la guerre.

L A GUERRE DE 1812 est la grande épopée de la longue guerre des frontières. Pendant trois ans, l'Amérique britannique du Nord, qui couvre un demi-continent et compte environ 500 000 habitants, résiste avec succès aux attaques répétées d'une nation de sept millions et demi d'habitants. Rétrospectivement, la guerre a pu sembler à bon nombre de Canadiens une reconstitution de l'affrontement classique entre David et Goliath, mais elle est loin d'être aussi héroïque. Si l'Amérique britannique du Nord, notamment le Haut et le Bas-Canada, est le principal théâtre des opérations et joue un rôle secondaire utile, elle n'est pas pour autant le principal protagoniste. La véritable belligérante est la Grande-Bretagne, contre laquelle les États-Unis ont déclaré la guerre; si elle pouvait, en 1812, concentrer toute sa puissance militaire et navale en Amérique du Nord, l'issue d'une lutte à forces égales pourrait être bien différente, mais cela lui est absolument impossible. En juin 1812, lorsque le président Madison signe la déclaration de guerre américaine, Napoléon s'apprête à lancer sa grande armée contre la Russie, et, dès lors et jusqu'au printemps de 1814, toutes les ressources humaines et matérielles de l'Angleterre sont mobilisées dans une lutte colossale contre Napoléon. Le nombre des soldats britanniques réguliers dans les deux provinces si vulnérables du Haut et du Bas-Canada s'élève à environ 7 000, dont guère plus de 1 600 se trouvent dans le Haut-Canada. La défense des deux provinces dépend donc d'une petite armée constituée de troupes professionnelles, et d'une milice beaucoup plus nombreuse mais mal entraînée et peu armée.

La conjoncture politique en dehors de leurs frontières ne peut guère être plus favorable aux États-Unis, et ce sont eux qui déclarent la guerre. Leurs corsaires sont nombreux et, pendant un temps, remportent de brillants succès, mais le pays ne possède pas de marine et, une fois encore, la Grande-Bretagne affirme sa suprématie navale. Les États-Unis souhaitent et recherchent une lutte terrestre dans laquelle ils pourront tirer profit de l'immense potentiel de leurs effectifs. Cependant, la conduite de leurs opérations se ressent gravement d'une nette division de la population au sujet de la guerre et d'une illusion tenace sur la loyauté des Canadiens.

Les Américains ne peuvent attaquer les provinces maritimes à cause de la présence de la marine britannique à la base navale de Halifax et aussi à cause de l'opposition farouche des États de la Nouvelle-Angleterre à la guerre. Une invasion par la route traditionnelle et mal défendue du lac Champlain et de la rivière Richelieu est certes la meilleure stratégie qu'ils peuvent employer; en effet, la capture de Montréal, sans nécessairement régler le sort du Canada, couperait la voie de communication vitale entre le Haut-Saint-Laurent et les Grands Lacs et contraindrait en peu de temps le Haut-Canada à la reddition. Montréal est donc le véritable objectif, mais, pour l'attaquer, il faut établir des contacts avec des Canadiens français indifférents à leur cause et risquer le combat contre le gros des troupes régulières anglaises. Bon nombre d'Américains, en particulier ceux de l'Ouest, qui sont les plus ardents partisans de la guerre, se complaisent à croire qu'ils remporteront la victoire avec un minimum de combats. Personne n'ignore aux États-Unis que le centre et l'ouest du Haut-Canada ont été colonisés en majeure partie par des immigrants américains. On les dénomme par euphémisme «Loyalistes de dernière heure» car ils ont été attirés par la promesse de terres gratuites et on suppose qu'ils n'espèrent rien d'autre que le rattachement de leur province aux États-Unis. Dans l'Ouest, croit-on, il n'est pas question de mener une guerre de conquête, mais plutôt une guerre de libération pour affranchir les malheureux Canadiens de la tyrannie et de la mauvaise administration des Britanniques. Ainsi, loin de résister, la population devrait faire un accueil chaleureux aux troupes américaines et l'invasion du Haut-Canada sera réduite à une simple marche.

Il ne fait aucun doute qu'un mécontentement considérable règne dans l'ouest du Haut-Canada; de plus, comme le constate tristement le major-général Sir Isaac Brock, administrateur de la province, une grande partie de la population croit fermement que le Haut-Canada succombera inévitablement devant les armes supérieures des Américains. Cette rancune obstinée et ce fatalisme démoralisant paralysent les forces du Haut-Canada;

Vue de la bataille du fort George, en 1813.

La flotte américaine couvre le débarquement de ses troupes par une canonnade intense.

celui-ci dispose pourtant de certains avantages précis qui pourraient avoir un impact décisif, surtout dans la première phase d'une guerre assez fruste. Au départ, la marine provinciale, si peu impressionnante soit-elle, est supérieure aux vaisseaux de guerre américains qui croisent dans le bassin inférieur des Grands Lacs. Quant aux Indiens de l'Ouest, alliés traditionnels du Canada, on peut vraisemblablement s'assurer à nouveau leur concours à condition de les convaincre, dès le début, que le Haut-Canada est résolu à lutter pour sa survie. Brock décide de tirer immédiatement parti de ces atouts. Il est opposé à l'idée d'une guerre défensive. Au contraire, il veut frapper sur-le-champ des objectifs limités, mais importants; il veut aussi porter son offensive dans l'Ouest, là où la loyauté canadienne est douteuse et l'aide indienne encore incertaine. Avant même le début des hostilités, il a déjà choisi ses premières cibles, Michilimackinac et Detroit.

Le 16 juillet 1812, moins d'un mois après la déclaration de guerre américaine, le capitaine Charles Roberts, commandant du fort Saint-Joseph, réunit une petite armée d'environ cinq cents hommes, constituée de quelques soldats réguliers, de quelques marchands de fourrures et d'une bande d'Indiens, et s'embarque pour l'île Michilimackinac. Arrivé sur l'île, il s'empare des hauteurs qui dominent le fort américain et contraint ses occupants à capituler sans avoir tiré un seul coup de fusil. Cette petite attaque menée de main de maître a aussitôt une influence décisive sur les Indiens. Lorsque le brigadier-général américain William Hull s'avance jusqu'à Detroit avec son armée, franchit la rivière et envahit le Canada sans capturer le fort Malden, il se heurte à l'hostilité d'Indiens de plus en plus nombreux. Il ne tarde pas non plus à réaliser les conséquences de la supériorité navale des Britanniques sur le lac Érié. Ses schooners de ravitaillement sont capturés. Le détachement qu'il a renvoyé vers le sud pour établir les communications avec sa base est mis en déroute par la garnison du fort Malden et des Indiens commandés par le brillant chef Shawnee Tecumseh. Le 7 août, Hull commence à faire retraite, mais Brock a déjà décidé que le temps est venu de contre-attaquer vigoureusement. Parti le 5 août de York, capitale du Haut-Canada, il arrive à Port Dover sur le lac Érié trois jours plus tard.

Le 13 août, avec l'aide de la marine provinciale, il remonte le lac jusqu'au fort Malden sans rencontrer d'opposition. Jointe à la garnison du fort, sa troupe constitue une petite armée d'environ 300 soldats réguliers, 400 miliciens et 600 Indiens. Dans la soirée du 15 août, Brock ordonne de canonner le fort Detroit de l'autre côté de la rivière, et le lendemain à l'aube, son armée atteint facilement la rive américaine et monte à l'assaut de la forteresse défendue par une armée deux fois supérieure en nombre. Hull n'oppose aucune résistance. Sa reddition immédiate et infamante avec toute son armée apporte aux Britanniques 35 canons et une quantité considérable d'armes et de matériel militaire.

Cette audacieuse et brillante victoire a des répercussions beaucoup plus profondes sur toute la population du Haut-Canada que la capture de Michilimackinac n'en a eu sur les Indiens. Elle redonne confiance aux indécis, met fin aux critiques démoralisantes et inspire la crainte à ceux qui auraient pu être tentés de passer à l'ennemi. Les soldats réguliers britanniques commencent à se rendre compte qu'ils ne servent pas une cause perdue; la milice du Haut-Canada, peu enthousiaste et méprisée, acquiert soudain du prestige et une grande popularité. C'est donc dans un état d'esprit totalement différent que les défenseurs se préparent à faire face à l'ennemi. Ils sont maintenant certains que la prochaine attaque aura lieu à la frontière du Niagara. Brock, qui a rejoint précipitamment le fort George huit jours seulement après la capitulation de Hull, pourrait prendre l'offensive à Niagara avec autant d'audace et de succès qu'il l'a fait à Detroit. Cependant, à cause des efforts inopportuns et vains de George Prévost, gouverneur en chef du Canada, pour négocier un armistice, les opérations sont interrompues. Paralysé et dévoré par l'impatience et l'anxiété, Brock doit se contenter d'attendre; pendant ce temps, le général Stephen Van Rensselaer, commandant de la milice de l'État de New York et homme encore plus hésitant que Hull, réunit peu à peu une armée de près de 6 500 hommes dont plus de la moitié sont des soldats réguliers. Les forces américaines se déploient le long du fleuve, de Buffalo au fort Niagara, et Brock, qui s'attend à ce que la principale attaque soit lancée contre le fort Érié ou le fort George, affaiblit son centre

Derniers vestiges du fort Saint-Joseph, base des opérations britanniques contre les Américains sur l'île Michilimackinac.

Premier monument érigé à la mémoire de Brock à Queenston et endommagé par une incursion frontalière en 1841.

pour protéger ses flancs. Au petit village de Queenston, en bordure du fleuve, juste au-dessous de l'escarpement du Niagara, il poste seulement un détachement de soldats réguliers et quelques hommes du York Volunteers et de la milice de Lewiston, au plus environ deux cents hommes. Or, c'est de Lewiston, en face de Queenston, que Van Rensselaer, après mille hésitations et atermoiements, a enfin décidé de lancer son attaque.

Le 12 octobre, une violente tempête de vent et de pluie balaie la région du Niagara. Le lendemain à l'aube, il pleut encore un peu, le temps s'est refroidi et le ciel est très sombre lorsque les premiers bateaux quittent Lewiston. Un quart d'heure plus tard, ils atteignent la rive canadienne sans avoir été repérés. Les premiers envahisseurs, en majorité des soldats réguliers, escaladent la rive et commencent à reformer leurs rangs avant même que les Britanniques ne prennent conscience du débarquement. Une patrouille britannique se lance à l'attaque des envahisseurs et leur inflige d'abord de lourdes pertes; cependant, devant l'arrivée continue de renforts américains et le grondement incessant des batteries de Lewiston, le capitaine Dennis, qui commande la garnison de Queenston, comprend rapidement qu'il ne s'agit pas d'une feinte ou d'un raid, mais d'une attaque de grande envergure. Le jour pointe, gris, froid et brumeux, lorsque Dennis se replie dans le village et rassemble autour de lui le gros de son armée, affaiblissant inévitablement les défenses des hauteurs. John E. Wool, qui a succédé à Van Rensselaer, blessé au cours des combats, conduit un détachement américain par un sentier caché et sinueux sur les hauteurs, en arrière de la batterie britannique.

C'est à ce moment crucial que Brock survient. Réveillé peu après trois heures du matin par le grondement des canons, il a aussitôt quitté le fort George à bride abattue. Au petit matin sous un ciel gris d'automne, Brock, couvert de boue, pénètre au galop dans le village. La situation est désastreuse. Des troupes sont alignées en grand nombre derrière les batteries de Lewiston; sur la rive, des embarcations se chargent de soldats alors que d'autres sont déjà au milieu du fleuve. Le point de débarquement est aux mains des ennemis et un tir nourri s'abat sur le village. Soudain, un cri retentit sur les hauteurs; un groupe de soldats américains se précipitent sur la batterie britannique installée à

Vue du monument de Brock, vers 1840. Au loin, l'embouchure du Niagara.

mi-chemin de la colline. L'abandon de la batterie et des hauteurs porterait un coup fatal aux Britanniques; aussi, Brock décide-t-il de les reconquérir avant que l'ennemi ne les occupe en force. La bruine a cessé, le soleil commence à percer les nuages et les bois sur les hauteurs resplendissent de couleurs automnales. Brandissant son épée et exhortant ses hommes à l'attaque, Brock escalade la colline jonchée de feuilles mortes. Avec son uniforme écarlate et la ceinture fléchée que lui a offerte Tecumseh en signe d'admiration et d'amitié, il offre une cible de choix. Un fusilier américain le met en joue et Brock s'écroule, tué d'une balle en pleine poitrine. Sa mort ne met cependant pas fin à l'assaut. Pendant un moment, il semble que les Britanniques vont réussir à reprendre la colline, mais, sous la pression d'ennemis de plus en plus nombreux, ils doivent battre en retraite.

Pendant des heures, les Américains occupent le point de débarquement et la colline sans rencontrer de résistance. Chose surprenante, ils n'exploitent guère leur avantage. Au lieu de prendre le village, ils se contentent de fortifier leur position sur les hauteurs, à une courte distance du fleuve. Les Britanniques, auxquels se sont joints maintenant des renforts venus du fort George, regagnent Queenston; le major-général Roger Sheaffe, qui a succédé à Brock, décide de laisser un détachement au village pour harceler l'ennemi au point de débarquement et, avec le gros de sa troupe, de contourner le flanc droit de l'ennemi à une bonne distance, afin de gagner les hauteurs et d'attaquer en terrain plat. En fin d'après-midi, ses troupes, grossies de nouveaux renforts venus de Chippawa, atteignent enfin leur objectif. Les deux armées, comptant chacune un peu moins d'un millier d'hommes, sont pratiquement d'égale force; mais en raison de la manoeuvre de Sheaffe, les Américains se voient contraints d'occuper à l'improviste une nouvelle position et, lorsque le général britannique donne le signal de l'assaut, leur ligne s'effondre entièrement. Presque toutes les troupes américaines en terre canadienne se rendent, soit 958 hommes dont 75 officiers de divers grades. Sheaffe est le grand vainqueur de Queenston, mais c'est grâce à Brock, à sa stratégie, son esprit combatif et sa rapidité d'intervention, que la campagne de 1812 a été gagnée et que le Haut-Canada est sauvé.

EN 1813, le Haut-Canada perd en partie l'un des avantages qui l'ont si bien servi pendant la première année de la guerre, c'est-à-dire la maîtrise des Grands Lacs. La campagne précédente a démontré l'importance énorme d'une supériorité navale, et, tandis que les Américains cherchent fébrilement à l'acquérir, les Britanniques s'efforcent de conserver la leur. Le commandement de l'escadre américaine des Grands Lacs est confié au commandant Isaac Chauncey, qui sera secondé ultérieurement par le capitaine Oliver Hazard Perry sur le lac Érié. Chauncey met rapidement sur pied un programme dynamique de construction navale; lorsque deux officiers de la Marine royale, le commodore James Yeo et le capitaine Robert Barclay, arrivent à Kingston au printemps de 1813, ils découvrent que Chauncey a provisoirement acquis la maîtrise du lac Ontario. Envoyé à Amherstburg, Barclay a la lourde responsabilité de maintenir la fragile hégémonie britannique du lac Érié. Yeo entreprend un vaste programme de construction navale à Kingston. Cependant, au début de la campagne de 1813, Chauncey ne se heurte à aucune opposition sur le lac Ontario.

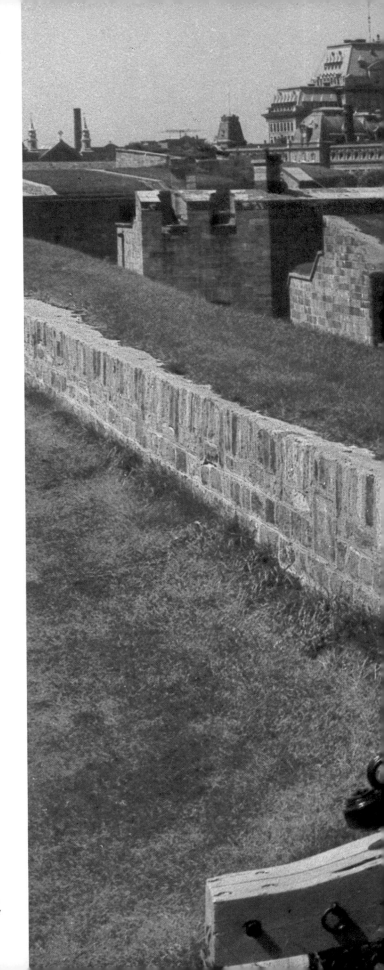

La citadelle de Québec, construite dans les années 1820. Malgré la paix officielle, il n'est pas question de laisser la frontière sans défense.

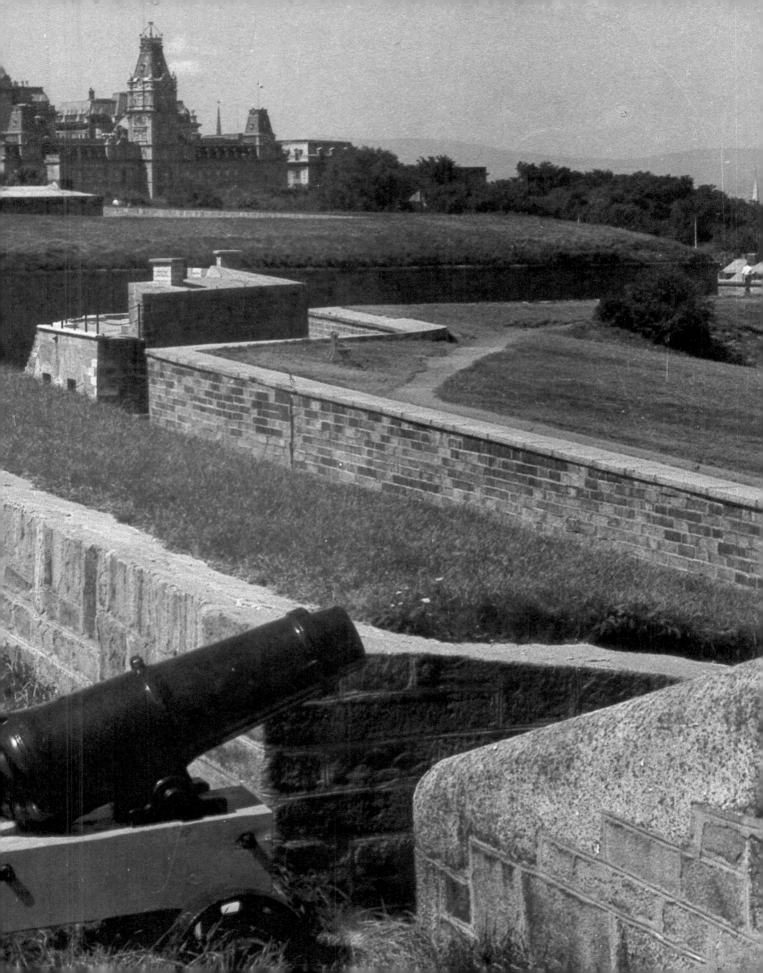

La poterne du fort Mississauga. Construit pour remplacer le fort George, il assure une meilleure protection de l'embouchure du Niagara.

À la fin d'avril, il s'empare de York, et le 27 mai, avec le concours du major-général Henry Dearborn et une armée d'environ 6 000 Américains, il attaque le fort George. C'est une des opérations amphibies les mieux réussies de la guerre. Les navires de Chauncey, remorquant une autre flottille de chalands et de barques, amènent les hommes de Dearborn sur le littoral du lac Ontario, un peu à l'ouest de Newark (Niagara-on-the-Lake), et couvrent leur débarquement. Avec une armée quatre fois moins importante que celle de Dearborn, le général britannique Vincent ne peut, malgré une résistance désespérée, contenir la tête de pont américaine; après avoir donné l'ordre d'enclouer les canons et de faire sauter la poudrière du fort George, il amorce sans hâte une retraite vers l'ouest, ne laissant du fort que des ruines fumantes.

Ces succès américains accroissent dangereusement l'isolement et la faiblesse du fort Malden et de la base navale britannique d'Amherstburg. Les canons ainsi que le matériel naval et militaire ne sont pas fabriqués au Canada mais doivent être expédiés d'Angleterre, et le fort Malden se trouve tout au bout d'une longue et difficile route qui s'étend de Montréal à la tête du lac Érié. Toute coupure de cette seule voie de ravitaillement serait grave, sinon fatale. Beaucoup de matériel précieux destiné aux postes de l'Ouest a été détruit lors de l'attaque de York; en outre, la capture du fort George oblige les Britanniques à modifier leur route de ravitaillement qui, à partir de la tête du lac Ontario, doit atteindre le lac Érié par voie de terre. Tandis que Barclay attend anxieusement le matériel d'armement pour les nouveaux navires qu'il a fait construire à Amherstburg, le capitaine Perry, à Presqu'Île, reçoit du matériel en abondance grâce à la rapidité de ses communications avec Pittsburgh et Philadelphie. Barclay n'obtiendra jamais les canons qu'il demande depuis si longtemps et, le 10 septembre, son nouveau vaisseau amiral, le *Detroit*, doit livrer bataille à Put-in Bay, équipé des canons du fort Malden. Malgré cet énorme handicap, le vaillant capitaine est bien près de remporter la victoire, mais grâce à la supériorité de son armement lourd, l'escadre américaine est finalement victorieuse.

La défaite de Put-in Bay laisse le colonel Henry Procter, commandant de la région de Detroit, dans une position très vulnérable, voire intenable. Tout comme Barclay, il n'a pas reçu suffisamment de matériel militaire et de renforts; en outre, le nouveau général américain, William Harrison, gouverneur du Kentucky, se révèle infiniment plus compétent que Hull. Au début de l'année, Procter a brillamment vaincu la première armée lancée contre lui à Frenchtown, sur la rive américaine du lac Érié, mais lorsqu'il tente, à la manière de Brock, de prendre l'initiative et de devancer l'offensive générale de Harrison en attaquant deux postes-frontières américains, il échoue. Ces deux revers compromettent gravement l'esprit de collaboration que Brock a suscité chez les Indiens et dont Procter ne peut se passer; la défaite de Barclay à Put-in Bay achève de démoraliser Procter et son armée. Il a déjà quitté Detroit car, privé de ses canons qui ont été montés sur le vaisseau amiral de Barclay, le fort Malden lui semble indéfendable; malgré les protestations véhémentes de Tecumseh, il décide d'abandonner l'ouest du Haut-Canada et de se replier le long de la vallée de la Thames, jusqu'aux hauteurs de Burlington. Harrison, avec une armée de 3 500 hommes dont près de la moitié est constituée de troupes de cavalerie, se lance à sa poursuite et le rattrape à Moraviantown, près de Thamesville. Les troupes de Procter, faméliques, mal équipées et affaiblies par la maladie, comptent moins de 900 hommes et les Indiens rassemblés sous le commandement de Tecumseh ne sont plus que 500. Procter choisit une bonne position; à sa gauche, la rivière Thames, et à sa droite, un terrain marécageux où sont postés les Indiens; au centre, en plein milieu d'un bois de grands hêtres, ses soldats réguliers et sa milice, alignés sur deux rangs. Dans l'après-midi du 5 octobre, alors que le soleil automnal embrase le feuillage mordoré des bois, l'armée de Procter est taillée en pièces par l'irrésistible charge de la cavalerie américaine. Procter s'enfuit avec un petit groupe de survivants, mais Tecumseh, avec sa flamboyante coiffure de plumes d'autruche, meurt les armes à la main.

Un court instant, il semble que les Britanniques ont perdu la péninsule occidentale du Haut-Canada et qu'ils seront contraints d'évacuer toute la province. Sur le front du Niagara, le général Vincent s'est replié sur les hauteurs de Burlington après avoir assiégé le fort George la majeure partie de l'été. Il suffirait que Harrison continue son avance victorieuse vers l'est, et que George McLure, le commandant du fort George, poursuive Vincent jusqu'à Burlington, pour que le général britannique soit attaqué par devant et par derrière. C'est la première fois que l'occasion d'une telle manoeuvre stratégique s'offre aux Américains sur le front ouest, depuis le début de la guerre, et ils la rejettent délibérément. Ils viennent de décider de reléguer le Haut-Canada, jusqu'ici leur champ de bataille favori, au second plan de la campagne. John Armstrong, le nouveau secrétaire américain à la guerre, s'est enfin rendu compte de la très grande importance stratégique de Montréal; il a décidé de confier la «grande invasion» de 1813 à deux puissantes colonnes qui convergeront sur cette ville.

Le major-général James Wilkinson descend sans hâte le Saint-Laurent avec une redoutable armée de 8 000 hommes transportés par une flotte de 300 chalands et barques, mais au cours d'une halte à Crysler's Farm, il est sérieusement malmené dans un combat d'arrière-garde. Malgré ce revers, l'armée américaine poursuit sa route, franchit les rapides du Long-Sault et serait en mesure de rejoindre à temps à Montréal le commandant de la deuxième colonne d'invasion, le major-général Wade Hampton, si celui-ci n'avait été

repoussé et ne s'était enfui. Hampton quitte Plattsburg sur le lac Champlain à la tête d'une armée de près de 7 500 hommes; effrayé par les redoutables défenses britanniques de l'Île-aux-Noix et de Saint-Jean sur la route du Richelieu, il franchit la frontière plus à l'ouest et fait marche sur Montréal par la vallée de Châteauguay. C'est une région inconnue, d'accès difficile et très boisée; le 26 octobre, il est brusquement attaqué par une petite troupe de moins de 500 hommes, formée de Canadiens français du régiment des Voltigeurs et de miliciens de Glengarry, sous le commandement du colonel Charles de Salaberry. Les Canadiens ont choisi une excellente position sur une crête, derrière un abattis d'arbres coupés, avec la rivière à leur gauche; Hampton, d'une intelligence médiocre, et qui n'a guère d'idée de l'importance des effectifs ennemis, hésite. Dans le vain espoir de contourner la position du colonel de Salaberry, il dépêche une colonne qui doit franchir la rivière à gué, mais Salaberry, prévoyant cette manoeuvre, a posté une petite compagnie sur la rive droite de la rivière et les hommes de Hampton sont refoulés dans le plus grand désarroi. Les soldats américains sont quinze fois plus nombreux que ceux de Charles de Salaberry; avec un tant soit peu de détermination et de courage, Hampton pourrait forcer le barrage de l'ennemi et l'écraser. Au contraire, il abandonne lâchement la partie. La «grande invasion» de l'Est est terminée; à l'ouest, la progression américaine de 1813 a été stoppée ou refoulée. Harrison se replie au fort Detroit et Yeo reprend la maîtrise du lac Ontario. À la frontière du Niagara, Britanniques et Canadiens, sous les ordres de nouveaux commandants compétents et énergiques, contraignent les Américains à évacuer le fort George, s'emparent, au cours d'une attaque surprise, du fort américain Niagara, le seul fort de pierre et la plus redoutable des places fortes de l'Ouest, puis incendient et détruisent tous les villages situés sur la rive américaine.

En 1814, dernière année de la guerre, la frontière du Niagara devient une fois encore le principal champ de bataille; c'est à Chippawa et à Lundy's Lane que se déroulent les deux batailles les plus sanglantes. De nouveau, Britanniques et Canadiens doivent résister à l'invasion. Cependant, dans les autres régions, notamment les territoires lointains de l'Ouest, sur la côte atlantique et

sur le lac Champlain, ce sont eux qui reprennent l'initiative. Les anciens combattants de la guerre contre Napoléon peuvent enfin venir assurer la défense du Canada, et l'armée que George Prévost dirige sur Plattsburg, base américaine du lac Champlain, constitue en fait une force redoutable. Cependant, la petite escadre britannique qui a été constituée en toute hâte à la nouvelle base navale de l'Île-aux-Noix est vaincue près de Plattsburg, et ce revers mineur fournit une excuse au pusillanime Prévost pour abandonner sa campagne et battre en retraite sur Montréal. C'est un échec humiliant, mais il est largement compensé par deux brillantes victoires. À l'ouest, la petite garnison du fort Saint-Joseph, qui a réussi à conserver Michilimackinac et l'hégémonie du lac Huron pendant toute la guerre, tente une attaque au sud-ouest et s'empare de Prairie-du-Chien sur le Mississippi. Sur la côte atlantique, John Sherbrooke, commandant de Halifax, dirige victorieusement une attaque amphibie contre Castine et Bangor, et annexe, pour le compte de la Couronne britannique, tout l'État du Maine au nord de la rivière Penobscot.

Le fort Lennox sur la rivière Richelieu, destiné à défendre la frontière méridionale du Québec après la Guerre de 1812.

LA GUERRE pour la survie de l'Amérique britannique du Nord est devenue une guerre d'expansion territoriale. Dans les régions lointaines de l'Ouest, la reddition du fort Astoria incite les Britanniques et les Canadiens à demander que la rivière Columbia constitue la frontière méridionale de la côte du Pacifique. Le fort Niagara reste aux mains des Britanniques. Soldats britanniques et canadiens occupent la majeure partie du territoire du Wisconsin et la moitié de l'État du Maine. Les seules compensations des Américains en regard de ces énormes conquêtes territoriales sont Amherstburg et le fort Malden. L'application du principe de l'*uti possidetis*, qui autorise une nation belligérante à conserver les possessions territoriales qu'elle occupe à la fin d'une guerre, permettrait d'élargir considérablement les frontières de l'Amérique britannique du Nord. Cependant, les Américains, plus habiles dans l'art des négociations que dans celui de la guerre, tiennent à faire rétablir les frontières telles qu'elles étaient avant la guerre (*statu quo ante bellum*) et le gouvernement britannique se plie mollement à cette demande. Quatre ans après le traité de Gand, la Convention de 1818 fixe avec précision la frontière à l'ouest du lac des Bois, en stipulant qu'elle doit suivre le 49e parallèle jusqu'aux Rocheuses et que les territoires de la côte du Pacifique revendiqués par la Grande-Bretagne et les États-Unis seront également accessibles aux ressortissants des deux pays pour une période de dix ans.

Certains tronçons de la ligne de partage entre l'Amérique britannique du Nord et les États-Unis restent évidemment imprécis et personne ne croit qu'une autre guerre entre les deux pays soit «impensable» ou que la frontière doive être laissée sans protection. Il est vrai qu'en 1817, les États-Unis réussissent à faire accepter par la Grande-Bretagne, à son corps défendant, une limitation draconienne des armements navals sur les Grands Lacs. L'accord Rush-Bagot, qui n'est pas un traité, autorise chaque partie à maintenir un seul petit vaisseau armé d'un canon sur le lac Champlain et le lac Ontario, et deux vaisseaux dans le bassin supérieur des Grands Lacs. Pour les Canadiens, le réseau des Grands Lacs et des rivières qui les relient est une voie de communication indispensable à leur survie. Pendant la Guerre de 1812, la perte du lac Érié a eu de graves conséquences, mais les Britanniques ont conservé la maîtrise des lacs Huron et Ontario, ce qui leur a permis aussi bien de prendre l'offensive que d'assurer une défense efficace. L'accord Rush-Bagot, qui empêche le Canada de se préparer à une éventuelle lutte pour obtenir la supériorité navale, donne aux États-Unis un immense avantage, mais cette renonciation, si grande qu'elle soit, n'implique nullement que la Grande-Bretagne ait brusquement et totalement abandonné la défense de la frontière canadienne. L'accord porte exclusivement sur l'armement naval et ne concerne aucunement les fortifications de la frontière. De fait, après la Guerre de 1812, on assiste non pas au démantèlement progressif et à l'abandon de certains postes de frontière fortifiés, mais, au contraire, à un programme de construction de forts plus dynamique que jamais dans toute l'histoire du Canada.

Le fort Saint-Joseph est d'abord établi sur l'île Drummond, puis à Penetanguishene lorsque l'île devient territoire américain. Une garnison britannique réoccupe le fort Malden. Quant au fort George, brûlé par les Britanniques lors de la retraite de 1813 et reconstruit par les Américains, il est peu à peu abandonné. L'invasion de 1813 a prouvé qu'il ne protégeait ni l'embouchure de la rivière Niagara ni la ville de Niagara-on-the-Lake; un nouveau fort, le Mississauga, redoute de forme étoilée entourant une tour de maçonnerie, le remplace. Le fort York de Toronto et le fort Wellington, construit en 1813 pour la défense de Prescott, centre important de transbordement sur le Saint-Laurent, sont tous deux laissés à l'abandon après la guerre; néanmoins, c'est dans la partie orientale de la province que les Britanniques concentrent leurs efforts pour assurer la protection du Haut-Canada. Une partie du Haut-Saint-Laurent, principale voie de transport vers l'ouest, constitue la frontière canado-américaine. Il est extrêmement vulnérable à une attaque à partir de la rive sud, et l'invasion de Wilkinson en 1813 a prouvé qu'il pouvait aussi bien servir à une offensive des Américains qu'à la défense du Canada. Il semble indispensable de disposer d'une autre liaison, bien au nord du Saint-Laurent et beaucoup moins propice aux invasions; aussi, en 1826, le Colonel John By

Le fort Wellington, à Prescott, en Ontario. Principale base de défense des communications entre Montréal et Kingston, il est le théâtre de combats pendant la Guerre de 1812 et abrite une garnison lors des incursions des Féniens en 1866.

entreprend-il la construction du canal Rideau en utilisant la voie d'eau Rideau-Cataraqui. De toute nécessité, il faut renforcer les défenses de Kingston, base navale canadienne de la Guerre de 1812 et désormais terminus occidental du nouveau canal; entre 1832 et 1836, le fort Henry, redoutable forteresse de pierre, la plus colossale jamais édifiée à l'ouest de Québec, est construit sur une pointe de terre dominant le port de Kingston et l'arsenal maritime.

Le coût de ces travaux complexes, que doit supporter le contribuable britannique, est considérable, mais il est encore surpassé par le montant des dépenses occasionnées par les fortifications du Bas-Canada. La construction de la citadelle de Québec, englobant quelques-unes de ses anciennes défenses, prendra dix années, de 1820 à 1830. Dans la même période, on construit le fort Lennox, du nom de Charles Lennox, duc de Richmond, alors gouverneur en chef du Canada, sur l'Île-aux-Noix, petite île basse au milieu de la rivière Richelieu. Dès 1759, une garnison y a été cantonnée sous les ordres du général de Bourlamaque, mais sa proximité du 45e parallèle accroît son importance comme poste avancé de défense après l'établissement de la nouvelle frontière du sud du Québec. Les Américains ont occupé l'Île-aux-Noix pendant l'invasion de 1775-1776 et elle a servi de base navale britannique lors de la Guerre de 1812. La forteresse de forme carrée, comportant quatre bastions et un ravelin à l'avant, est située à l'extrémité sud de l'île, face à la frontière. Ses remparts escarpés en terre sont entourés d'un fossé de soixante pieds de largeur et de dix pieds de profondeur; à l'intérieur, sur trois côtés de l'enceinte carrée, sont groupés quatre bâtiments massifs de pierre qui abritent les logements des officiers, les casernes, un corps de garde, une poudrière et l'intendance. Du point de vue solidité et coût de construction, le fort Lennox détient la deuxième place au Canada après le fort Henry.

En 1838, moins de vingt-cinq ans après la Guerre de 1812, les Américains reprennent leurs attaques contre la frontière canadienne. Il ne s'agit pas de véritables actes de guerre, car la Grande-Bretagne et les États-Unis sont officiellement en paix, mais simplement d'intrusions gratuites dans la politique intérieure du Canada qui sont inspirées par une incompréhension totale des deux rébellions de 1837. L'insurrection du Bas-Canada, de loin la plus grave, est réprimée en quelques semaines et celle du Haut-Canada, qui est l'oeuvre d'une très faible minorité, se termine encore plus rapidement. L'immense majorité de la population du Haut-Canada fait preuve d'une loyauté inébranlable mais les Américains s'imaginent à tort, tout comme en 1812, qu'une aide amicale de l'extérieur permettra à ce peuple opprimé de faire front contre la tyrannie exécrable des Britanniques. À Amherstburg, sur l'île Pelée et à Kingston, des «sympathisants américains», qualifiés froidement par les Canadiens de «bandits» ou de «pirates», effectuent une série de raids inutiles et généralement absurdes. Le plus grave, et aussi le plus sanglant de toute la rébellion du Haut-Canada, a lieu à la suite du débarquement d'une importante troupe de «pirates» sur le sol canadien, près de Prescott, le 12 novembre 1838. Les remparts du

fort Wellington ont été modifiés, et un blockhaus ainsi que d'autres bâtiments ont été construits en prévision d'une invasion de ce genre, mais les travaux ne sont pas terminés. Cependant, les envahisseurs ne font aucune tentative pour s'emparer du fort; ils se barricadent plutôt à l'intérieur d'un grand moulin de pierre dont les murs sont aussi épais que ceux d'une tour Martello et seule l'artillerie lourde aura raison de leur résistance.

Le risque de telles incursions et la crainte d'une autre guerre entre la Grande-Bretagne et les

Blockhaus massif à trois étages du fort Wellington, construit pour résister à de longs sièges. Il sera achevé par le Royal Engineers après l'insurrection de 1838.

Le moulin de Windmill Point a été conservé en parfait état depuis son occupation par les rebelles de Von Schultz.
À GAUCHE: *Sur la rive américaine, des spectateurs suivent le déroulement de la bataille.*

États-Unis continuent de hanter l'esprit des Canadiens. Le désaccord au sujet de la frontière du Nouveau-Brunswick et du Maine prend des proportions inquiétantes et sera finalement réglé, en 1842, par le traité de Webster-Ashburton. Quant à la ligne de démarcation avec l'Oregon, le conflit s'envenime tellement que les défenses de Kingston sont renforcées par quatre nouvelles tours Martello et que des troupes britanniques sont envoyées en garnison au fort Garry. Le traité de l'Oregon de 1846 met fin à la controverse et fixe au 49e parallèle la frontière internationale des Rocheuses jusqu'au Pacifique. L'île Vancouver est reconnue possession anglaise en totalité.

Les principaux litiges frontaliers entre l'Amérique britannique du Nord et les États-Unis sont désormais réglés, mais la paix et la sécurité ne sont nullement garanties à la frontière. Deux graves conflits anglo-américains se produisent dans les années 1850 et la guerre civile américaine entraîne une détérioration des relations entre la Grande-Bretagne et les États-Unis, la pire depuis près d'un demi-siècle. En 1861, éclate l'affaire du *Trent*; un vaisseau de guerre nordiste arraisonne un bateau anglais en pleine mer et s'empare de deux agents sudistes. L'Angleterre envoie de toute urgence une troupe de 18 000 hommes en Amérique britannique du Nord et oblige la province du Canada à entreprendre la réorganisation fort nécessaire de sa milice. En octobre 1864, un petit groupe de soldats sudistes utilisent le territoire canadien comme base d'opération pour effectuer une incursion sur la ville de Saint Albans dans le Vermont. Aux États-Unis, l'indignation est à son comble et le gouvernement américain annonce son intention de mettre fin à l'accord Rush-Bagot qui limite l'armement naval sur les Grands Lacs. Heureusement, il revient sur sa décision avant la date fixée; néanmoins, l'évidente sympathie de la Grande-Bretagne et de l'Amérique britannique du Nord pour la cause sudiste ainsi que les dommages infligés aux navires américains par l'*Alabama* et d'autres croiseurs sudistes construits dans les chantiers navals britanniques soulèvent la colère et le ressentiment des Américains.

Au printemps de 1865, à la fin de la guerre civile, la crise est à son paroxysme. Les Canadiens ne peuvent s'empêcher de craindre que l'Union, victorieuse dans le Sud, n'en profite pour se ven-

Un feu nourri accueille les Féniens à

la frontière du Niagara, en 1866.

ger des affronts subis au nord de la frontière. Les Américains renforcent leurs défenses frontalières et la Grande-Bretagne construit une tête de pont fortifiée à Lévis, sur la rive sud du fleuve, en face de Québec. Le Canada tente de persuader le cabinet britannique de souscrire à un vaste plan de défense de la province. La démobilisation de l'immense armée de l'Union ne suffit pas à apaiser l'anxiété des Canadiens car les problèmes soulevés en temps de guerre n'ont pas encore été réglés; alors que le gouvernement américain cherche à éviter les positions extrêmes, la Fraternité des Féniens, qui a des raisons personnelles de haïr les Britanniques, ne demande qu'à attaquer le Canada. Effrayé, le cabinet canadien mobilise 20 000 volontaires et met ses postes de frontière sur un pied d'alerte. Encore une fois, la Grande-Bretagne expédie au Canada des renforts de soldats réguliers. La plupart des incursions des Féniens se terminent à la frontière ou à proximité, sans causer de pertes de vie; à la fin de mai 1866 cependant, le «général» John O'Neill franchit le Niagara avec une troupe de 1 500 Féniens et, deux jours plus tard, engage le combat contre une colonne de la milice canadienne à Ridgeway; c'est une nouvelle page épique dans l'histoire de ce champ de bataille qu'est devenue la frontière du Niagara. Ces harcèlements frontaliers, vains mais sanglants, contribuent puissamment à éveiller le nationalisme des Canadiens, et leur conviction qu'il faut s'unir pour se défendre et survivre renforce le mouvement en faveur de la Confédération.

En 1871, quatre ans après la Confédération, le traité de Washington règle les différends anglo-américains en suspens et, à l'automne de cette même année, la dernière garnison britannique quitte le Canada. Après environ trois quarts de siècle d'incursions et de guerres ou de menaces de guerre, la paix s'installe enfin à la frontière et le Canada amorce une nouvelle ère de relations pacifiques avec les États-Unis. Dorénavant, les dangers d'outre-frontière susceptibles de compromettre l'indépendance politique et l'identité culturelle du Canada seront sans aucun doute très différents des périls manifestes du passé. Les Canadiens seront amenés à se défendre, non pas contre une invasion armée, mais contre l'intrusion plus insidieuse du capital et de la technologie des États-Unis ainsi que de ses normes et de ses valeurs.

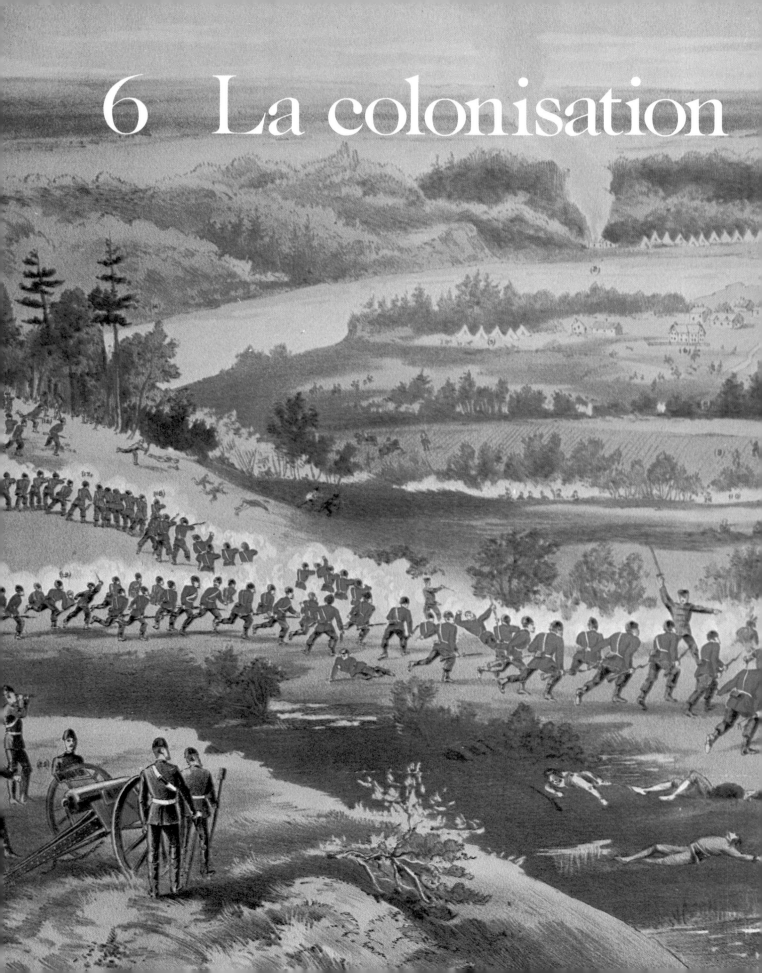

6 La colonisation

de l'Ouest

Agents de la Gendarmerie à cheval du Nord-Ouest endormis dans un train en route vers l'ouest.

LA COLONISATION de l'Ouest est l'oeuvre de milliers de pionniers, mais on ne la doit pas uniquement à l'esprit inventif d'individus indépendants et débrouillards. Elle est, en majeure partie, planifiée et dirigée, et deux grands organismes jouent un rôle primordial dans son développement, la Compagnie de la baie d'Hudson et son successeur dans la Terre de Rupert et les Territoires du Nord-Ouest, le tout nouveau Dominion du Canada. Parfois, les autorités planifient l'aménagement de tout un nouvel établissement et s'occupent de choisir, transporter et établir les colons. D'autres fois, les pionniers viennent de leur propre chef à leurs frais et les autorités ne s'occupent alors que de préparer soigneusement leur venue et de leur fournir protection et encadrement à l'arrivée. L'Ouest canadien n'est pas un vaste territoire sans loi ni frontière, dominé par une poignée d'insoumis turbulents. Loin de n'intervenir qu'après coup, les autorités prévoient et planifient son peuplement.

Au cours de la première moitié du XIXᵉ siècle, la Compagnie de la baie d'Hudson est le seul organisme capable d'amorcer l'entreprise de colonisation et désireux de le faire. La Grande-Bretagne refuse catégoriquement de dépenser un sou pour fonder de nouvelles colonies en Amérique du Nord. Quant à la province du Canada, elle s'intéresse vivement à la pénétration de l'Ouest, mais se dérobe aux lourdes responsabilités que cela implique. La Compagnie de la baie d'Hudson est l'organisme britannique le plus stable et le plus puissant de cette vaste région. Voyant certains avantages à encourager la colonisation, elle fonde deux colonies, celle de la rivière Rouge au moment où la lutte avec la Compagnie du Nord-Ouest atteint son paroxysme, et l'autre sur l'île Vancouver, lorsque le traité de l'Oregon partage définitivement le littoral du Pacifique entre la Grande-Bretagne et les États-Unis. Dans les deux cas, la Compagnie agit surtout par intérêt personnel, mais un peu aussi par philanthropie et patriotisme. Thomas Douglas, cinquième comte de Selkirk et fondateur de la colonie de la rivière Rouge, est un grand idéaliste qui espère trouver terres et maisons dans l'Ouest pour les fermiers écossais et les paysans irlandais chassés de leur pays et réduits à la misère. Homme perspicace, il sait qu'une telle communauté agricole fournira un appui vital à un commerce de fourrures dynamique et en pleine expansion et que les colons de la rivière Rouge pourront bientôt approvisionner les équipes de traitants de l'Athabasca.

Dans ses premières années, la colonie de Lord Selkirk connaît d'énormes difficultés, mais elle parvient à les surmonter; vers la fin des années 1840, au moment où les autorités britanniques se préoccupent de sauvegarder leurs intérêts sur la côte du Pacifique, l'établissement de la rivière Rouge devient pour elles la preuve qu'une compagnie peut efficacement coloniser et administrer un territoire. Le traité de l'Oregon de 1846 n'assure nullement la permanence britannique sur la côte du Pacifique. Aux yeux des représentants de la Couronne, qui craignent une invasion de colons américains appuyés par leur gouvernement, la nouvelle frontière protège assez mal l'île Vancouver et les régions au nord du 49ᵉ parallèle. Ils croient que seules l'instauration de la loi britannique et l'exploitation des terres sous l'égide de la Grande-Bretagne sauvegarderont leur possession. La Compagnie de la baie d'Hudson est le seul organisme qui puisse entreprendre cette oeuvre de colonisation car la Grande-Bretagne refuse d'intervenir. La Compagnie possède déjà des droits exclusifs pour la traite des fourrures à l'ouest des montagnes Rocheuses et, depuis la signature du traité de l'Oregon, elle a installé son quartier

PAGE PRÉCÉDENTE: *La prise de Batoche par les troupes du général Middleton, en 1885. Cette victoire marque la fin de la résistance des Métis et le début d'un nouveau mode de vie dans les Prairies.*

général au fort Victoria, sur la pointe sud de l'île Vancouver. Somme toute, elle est sur les lieux, elle a acquis une grande expérience, elle peut facilement obtenir des fonds et ses dirigeants sont déjà convaincus qu'un régime colonial peut le mieux sauvegarder leurs intérêts dans l'Ouest. C'est l'île Vancouver qui est choisie pour cet essai; la Compagnie y a établi son principal entrepôt côtier et les autorités britanniques ont l'intention d'y créer une base d'approvisionnement naval. La Grande-Bretagne fonde donc une colonie de la Couronne et nomme un gouverneur. En janvier 1849, la Compagnie se voit concéder la propriété de l'île Vancouver contre le paiement annuel d'une somme nominale et la promesse d'encourager la colonisation.

Pas plus que le gouvernement britannique, la Compagnie ne prévoit ni ne souhaite l'arrivée d'une foule empressée de colons. Le voyage par voie de terre est impossible; la traversée à partir de la Grande-Bretagne est longue et coûteuse; quant aux Américains, ils sont considérés comme indésirables. Dans ces conditions, l'établissement de petites colonies dont les membres seront triés sur le volet semble tout indiqué et c'est justement ce que préfèrent les dirigeants de la Compagnie de la baie d'Hudson. À leur avis, la colonisation doit être sélective et bien organisée au lieu de se faire sans discrimination et au hasard. Ils ne veulent pas d'immigrants de toutes nationalités, sans un sou vaillant et avides de terres, mais des colons britanniques riches et bien nés, capables de payer leurs terres et d'emmener avec eux métayers et ouvriers agricoles. Dans la société établie sur l'île Vancouver, on ne doit pas retrouver la licence, les principes égalitaires et la fruste simplicité des postes isolés américains; au contraire, elle doit maintenir les distinctions sociales et cultiver les valeurs morales qui fleurissaient en Angleterre au début de l'ère victorienne. Ce n'est pas là une mince tâche et la Compagnie de la baie d'Hudson la confie à sa filiale, la Puget's Sound Agricultural Company. Celle-ci achète suffisamment de terres au voisinage du fort Victoria pour quatre exploitations agricoles, nomme quatre gentilshommes régisseurs et y transporte des ouvriers agricoles à qui elle promet un lopin de terre dans cinq ans. L'une des exploitations, Craigflower Farm, est située au confluent de Gorge Water et de Portage Inlet, un long bras

L'Inspection de la garde du soir, *croquis d'Henri Julien.*

de mer qui s'étend en direction nord-ouest à partir du fort Victoria. Son régisseur est Kenneth McKenzie, qui est également chargé de la direction générale des autres exploitations. À l'été de 1849, les premiers colons commencent à arriver et, en janvier 1853, Kenneth McKenzie, sa femme et sa famille débarquent au fort Victoria après un voyage de six mois, que le manque de vivres et la maladie ont rendu extrêmement pénible. Les premières difficultés que connaissent les McKenzie et les autres colons sont simplement celles auxquelles tout pionnier inexpérimenté doit faire face sur des terres vierges. Cependant, il devient bientôt évident que le plan de colonisation de la Puget's Sound Agricultural Company est tout à fait inadapté à la colonie de l'île Vancouver et qu'il multiplie les problèmes.

Les régisseurs tiennent à loger leurs familles dans de belles grandes demeures. La résidence de McKenzie, le manoir Craigflower, est beaucoup moins fastueuse et coûteuse que certaines autres; sise sur une hauteur, c'est une maison de deux étages en planches à clins, de style colonial. Cependant, sa construction, comme toutes les autres, contribue à alourdir les dépenses, que McKenzie essaie en vain de réduire. De plus, les ouvriers agricoles ne donnent pas satisfaction; comme leurs salaires sont ridiculement bas en comparaison de ceux qu'offrent les Américains, il n'est pas rare

qu'ils s'enfuient secrètement. Autre difficulté, les droits de douane élevés des Américains ont pratiquement fermé les seuls marchés de produits agricoles. Au cours de la guerre de Crimée, Esquimalt sert de base d'approvisionnement à l'escadre de la Grande-Bretagne dans le Pacifique et Kenneth McKenzie fait de bonnes affaires en vendant des biscuits à la marine. Toutefois, c'est en 1858, lorsque la ruée vers l'or attire des milliers de mineurs américains à Victoria, que l'île Vancouver connaît vraiment sa première vague de prospérité.

Le programme de colonisation de la Puget's Sound Agricultural Company est évidemment un échec, mais, sur le plan social et politique, le succès est incontestable. Pendant les neuf ans où elle a régné sur l'île Vancouver, la Compagnie de la baie d'Hudson a défendu ce territoire inoccupé contre l'invasion des squatters américains. La petite colonie du fort Victoria s'est développée, lentement mais sûrement. S'adaptant peu à peu à leur nouveau milieu, les colons commencent à former une collectivité stable. En mars 1855, ils inaugurent la quatrième école de l'île, à Craigflower Farm. L'empreinte colonisatrice de la Grande-Bretagne est peu profonde, mais elle existe; lorsque la ruée vers l'or entraîne une véritable invasion désordonnée d'Américains, elle se révèle assez nette pour ne pas être effacée.

L'intérieur du manoir Craigflower, meublé selon le style de l'époque.

L E GRAND RÉSEAU du commerce de la fourrure de la Compagnie de la baie d'Hudson avait déjà commencé à décliner rapidement bien avant l'avance soutenue de la colonisation et de l'administration civile. La création de la colonie de la Colombie britannique en 1858 et la perte de droits commerciaux exclusifs dans les Territoires du Nord-Ouest l'année suivante sont les premiers signes de ce déclin. La Compagnie détient toujours son empire original, la Terre de Rupert, mais le mouvement en faveur d'une union fédérale en Amérique britannique du Nord, qui aboutit à la Confédération canadienne, laisse présager la fin de son règne dans le Nord-Ouest. Les Pères de la Confédération cherchaient avant tout à créer une grande nation transcontinentale, mais pour cela, il fallait peupler et mettre en valeur la Terre de Rupert ainsi que les Territoires du Nord-Ouest. La cession des propriétés de la Compagnie de la baie d'Hudson au Canada est retardée d'un an en raison de la révolte des Métis de la rivière Rouge, qui laisse présager une période troublée dans l'Ouest. Le cabinet canadien et le gouvernement provisoire de Riel parviennent à une entente et, en 1870, la nouvelle province du Manitoba entre dans la Confédération. Les responsabilités du Canada dans le Nord-Ouest sont déjà énormes et elles ne feront qu'augmenter en 1871 lorsque la Colombie britannique se joindra, elle aussi, à la Confédération après avoir reçu la promesse qu'un chemin de fer sera construit jusqu'au Pacifique.

Sir John A. Macdonald et ses collaborateurs au sein du premier cabinet fédéral sont convaincus que l'Ouest fera du Canada une grande nation. Pour hâter son peuplement et son développement, ils se rendent compte qu'ils doivent assurer le transport des immigrants, préparer leur arrivée dans les Prairies, faciliter la colonisation et en minimiser le coût. Dès 1869, débute l'arpentage de tout l'Ouest canadien et, deux ans plus tard, le gouvernement négocie une première série de traités avec les tribus indiennes, qui cèdent leurs titres de premier occupant contre des réserves bien délimitées. L'année 1872 voit l'octroi d'une charte à la première compagnie de chemin de fer, le Pacifique canadien, et l'adoption de la loi sur les terres du Dominion, qui permet à chaque colon de devenir propriétaire d'une terre de 160 acres après trois ans seulement.

Les grandes lignes de la politique de développement de l'Ouest sont déjà arrêtées, mais le succès de l'entreprise dépend dans une grande mesure du maintien de la paix, ce qui ne semble pas du tout assuré au début des années 1870. Au-delà de la petite province du Manitoba, il n'y a ni administration autonome ni moyen d'assurer l'ordre et la sécurité, et les causes d'insatisfaction et d'agitation sont nombreuses. Mécontents des dispositions de l'Acte du Manitoba et regrettant leur liberté d'autrefois, les Métis de la rivière Rouge sont remontés vers le nord-ouest jusque sur les bords de la Saskatchewan. Chez les Indiens, la famine, la disparition soudaine et incompréhensible du bison de même que les contraintes de leur nouvelle vie dans les réserves font naître mécontentement et inquiétude.

Il existe véritablement des foyers d'agitation dans les Territoires du Nord-Ouest et le danger qu'ils représentent ne fait que s'accroître sous l'influence de provocateurs venus du Sud. Le raid des Féniens à la frontière du Manitoba à l'automne de 1871 est un échec lamentable. Cependant, ce ne sont pas tant les attaques ouvertes des Américains qui compromettent la paix que l'intrusion discrète de traitants de fourrures et de marchands de whisky. Comme la Compagnie de la baie d'Hudson diminue son activité dans les Prairies, les Américains du Montana se mettent à ouvrir de nouvelles routes commerciales jusqu'aux réserves indiennes au-delà de la frontière. Le fort Benton sur le Missouri semble disposé à poursuivre l'action annexionniste amorcée quelques années plus tôt au Manitoba par les habitants de Saint Paul.

Cette invasion commerciale entraîne malheureusement l'apparition de ce que l'on surnomme les «forts à whisky». On en compte au moins une douzaine sur le territoire qui deviendra le sud de l'Alberta et le sud-ouest de la Saskatchewan. Le plus important est le fort Whoop-Up, au confluent des rivières Oldman et Sainte-Marie. Ces forts,

bien défendus, vendent évidemment diverses marchandises, mais leurs réserves de whisky sont abondantes et bien connues. Au dire des Canadiens, ce trafic d'alcool démoralise et excite les Indiens déjà en effervescence. Depuis longtemps, Macdonald songe à créer une force policière dans le Nord-Ouest et, sous la pression des événements et de l'opinion publique, il se décide à agir. En mai 1873, une loi en ce sens est adoptée. La force policière reçoit le nom de Gendarmerie à cheval du Nord-Ouest plutôt que celui de Fusiliers à cheval du Nord-Ouest afin de ménager la susceptibilité des États-Unis. Trois mois plus tard, l'annonce du terrible massacre des collines Cyprès met fin à toutes les tergiversations et un décret du conseil autorise l'enrôlement immédiat des cent cinquante premières recrues.

Les collines Cyprès forment une haute chaîne dont l'altitude dépasse souvent 4 000 pieds. Elles s'étendent sur plus de soixante milles dans le sud-ouest de la Saskatchewan et le sud-est de l'Alberta. Leurs sommets arrondis et leurs plateaux battus par les vents sont recouverts de longues herbes et parfois couronnés de massifs de peupliers ou de sombres taillis de pins gris. Elles sont entrecoupées de vallées profondes et de cours d'eau encaissés. C'est dans l'une de ces vallées, près d'un ruisseau sinueux surnommé depuis Battle Creek, que se produit le terrible massacre de mai 1873. Un groupe d'Assiniboines ont établi leur campement sur un terrain plat près de l'eau, à proximité de deux postes de traite américains situés de chaque côté du ruisseau. Les relations entre les Indiens et l'un des marchands sont quelque peu tendues, mais la vie demeure relativement calme dans la vallée. Survient soudain un groupe de traitants de fourrures, dont la plupart sont américains. En route vers le fort Benton, ils se sont fait voler leurs chevaux et, après avoir trouvé de nouvelles montures, ils sont revenus vers le nord pour reprendre leur bien et punir les voleurs. Très vite, ils en viennent à la conclusion que les Assiniboines sont les coupables. Farwell, un des marchands locaux, réussit avec peine à les convaincre du contraire. Au matin, après avoir passé la nuit à boire au poste de Farwell, les traitants constatent qu'un des nouveaux chevaux a également disparu. Sans songer qu'il a pu simplement s'égarer, son propriétaire s'empare de son fusil et, avec quelques compa-

Le fort Whoop-Up, en 1874. L'activité de ces «forts à whisky» hâte la création de la Gendarmerie à cheval du Nord-Ouest.

gnons, se rend dans le camp indien. Cette intrusion soulève la colère des Indiens; malgré de nouvelles tentatives de la part de Farwell pour maintenir la paix, les balles ne tardent pas à siffler. Munis d'armes très supérieures et cachés dans les ravins, les hommes du fort Benton tirent au hasard dans le camp indien. Un seul Blanc est tué, mais tous les Indiens sont abattus.

Ce massacre accélère le recrutement et l'envoi des six premiers détachements de la Gendarmerie à cheval du Nord-Ouest; il contribue également à déterminer la répartition géographique des forces policières dans les Prairies. Le 8 juillet 1874, toute la troupe en grand uniforme quitte la colonie de la rivière Rouge pour entreprendre la traversée des

Prairies. Deux mois plus tard, elle s'arrête en vue des montagnes Rocheuses. Une partie du détachement «A» s'est déjà mise en route pour Edmonton et deux autres détachements, sous la direction du commissaire George E. French, retournent dans l'Est, à leur quartier général situé sur la rivière Swan près du fort Pelly. Le reste de la troupe, soit un peu plus de la moitié des effectifs, demeure sur les lieux, sous le commandement du commissaire adjoint James F. Macleod, afin de maintenir l'ordre dans cette zone d'agitation. Au mois d'octobre 1874 commence la construction du premier fort, le Macleod, sur une petite île de la rivière Oldman. Six mois plus tard, au printemps de 1875, le surintendant James Walsh part avec trente hom-

Agents de la Gendarmerie à cheval du Nord-Ouest dans leur uniforme d'origine, qui sera modifié par la suite.

mes du détachement «B» à la recherche d'un emplacement aussi bien protégé dans les collines Cyprès. Il choisit un site dans une large vallée boisée, sur les rives du ruisseau Battle, à proximité de l'endroit où a eu lieu le massacre des Assiniboines et au coeur même de la zone du trafic de whisky. La construction du fort Walsh est achevée avant la fin de l'été.

VERS le milieu des années 1870, presque tous les préparatifs en vue de la colonisation de l'Ouest canadien sont terminés. L'arpentage est achevé. La Gendarmerie à cheval a inauguré son cinquième poste, le fort Battleford, au confluent des rivières Battle et Saskatchewan-Nord, à l'été de 1876. L'année suivante marque la ratification du septième et dernier traité avec les Indiens. La plupart des conditions nécessaires à la colonisation sont réunies, mais il manque encore le chemin de fer, élément indispensable à la mise en branle de l'entreprise. En 1873, la compagnie ferroviaire Pacifique canadien, dirigée par Hugh Allan, doit fermer ses portes dans le déshonneur et le scandale. La crise commence à s'estomper. À l'automne de ans la construction du transcontinental. Ce n'est qu'en 1879, un an après le retour au pouvoir des conservateurs et de Sir John A. Macdonald, que la crise commence à s'estomper. À l'automne de 1880, le gouvernement signe un nouveau contrat avec un syndicat financier, dirigé par George Stephen et Donald Smith, pour la construction du chemin de fer; les travaux débutent pour de bon en 1881. Du coup, l'Ouest semble promis à de nouvelles destinées. La confiance règne à nouveau, des immigrants impatients se mettent en route, et Winnipeg, l'ancien fort Garry, est en pleine effervescence.

À l'automne de 1882, cette flambée d'optimisme et d'espoir a nettement diminué et elle s'éteint avec les gelées meurtrières de septembre 1883. Cette nouvelle crise provoque un resserrement financier qui préoccupe sérieusement l'administration fédérale et ruine presque la nouvelle compagnie Pacifique canadien. Elle a des répercussions tout aussi profondes et beaucoup plus complexes sur les collectivités dispersées et primitives du Nord-Ouest. Chacun des trois grands groupes sociaux des Prairies, Indiens ou Métis, Anglais et nouveaux colons blancs, a son lot de peines et de misères. Le colon, venu dans l'Ouest plein d'espoir et de folles ambitions, doit maintenant faire face à des gelées hâtives, des mauvaises récoltes, des prix dérisoires pour le blé et des frais énormes d'entreposage et de transport. Ces problèmes ne sont ni nouveaux ni surprenants; ils ont toujours été associés à l'établissement de postes éloignés à chaque étape de la colonisation de l'Ouest. Les difficultés que connaissent Indiens et Métis, surtout ceux de langue française, sont d'un tout autre ordre. Malgré leur éloignement des foyers de civilisation du centre et de l'est du Canada, les colons blancs connaissent bien l'esprit qui y prévaut et s'y sont parfaitement adaptés. Il n'en va pas de même des Métis et des Indiens. Ils se sentent totalement étrangers dans un milieu opprimant qu'ils craignent et haïssent.

La vie libre d'autrefois est bien révolue. Le bison est mystérieusement disparu et les grandes chasses sont chose du passé. La traite des fourrures, ce commerce traditionnel qui était leur gagne-pain, périclite devant l'avance résolue de la frontière agricole. Confinés dans leurs réserves étriquées, vivant chichement de terres mal exploitées et des rentes de l'État, les Indiens sont souvent tenaillés par la faim et en proie à des regrets amers. Quant aux Métis, bon nombre d'entre eux ont quitté le Manitoba dans l'espoir de fonder dans l'Ouest une communauté libre et autonome; sur les terres qui leur ont été octroyées au bord de la Saskatchewan, ils se retrouvent maintenant entourés de colons anglo-protestants et pris dans l'inévitable carcan de l'autorité civile, des règlements et de la police.

Plus nombreux que les Métis, les Indiens pourraient représenter un danger, mais il leur manque un chef qui saurait unifier leurs bandes éparses et divisées pour former un puissant mouvement de contestation. Les Métis ne demandent qu'à prendre l'initiative; c'est un peuple fier qui se considère comme la «nouvelle nation»; ils croient détenir, avec les Indiens, les droits du premier occupant de l'Ouest canadien et ils exigent

La dure traversée de l'Ouest, en 1874. Malgré la dysenterie, le manque d'eau et l'épuisement des chevaux, la plupart des membres de la Gendarmerie à cheval du Nord-Ouest sont parvenus à destination.

maintenant un dédommagement sous forme de titres négociables. Les cavaliers et les tireurs d'élite qui ont fait de la chasse au bison une entreprise semi-militaire se rappellent avec amertume les terribles années 1869-1870 où ils ont organisé la résistance de la rivière Rouge et contraint le gouvernement à négocier l'entrée du Manitoba dans la Confédération.

Colons blancs mécontents, Indiens en effervescence et Métis pleins de ressentiment, voilà autant d'éléments qui rendent la situation explosive dans le Nord-Ouest. Ils se concentrent tous en demi-cercle, comme une ligne de bataille, le long des vallées des deux bras de la rivière Saskatchewan, à partir du fort La Corne et de Prince Albert à l'est jusqu'au fort Pitt et au lac Frog à l'ouest. Les colons anglais et les Métis de langue anglaise sont surtout concentrés dans les petites colonies de

Prince Albert, Red Deer Hill et Halcro sur la Saskatchewan-Sud. Quant aux Métis, ils ont fondé quatre paroisses, soit Grandin et Sacré-Coeur sur la rive gauche de la Saskatchewan-Sud ainsi que Saint-Louis-de-Langevin et Saint-Antoine-de-Padoue, communément appelé Batoche, sur la rive droite. Un peu plus à l'ouest, au-delà du coude formé par la Saskatchewan-Nord, on trouve Battleford, une autre importante colonie anglaise, mais plus petite que Prince Albert. Dans le voisinage, campe une tribu de Cris qui a pour chef Poundmaker, homme compétent et influent, amèrement déçu par le régime des réserves. Plus en amont sur la Saskatchewan-Nord, au-delà du fort Pitt, Big Bear a regroupé autour de lui un imposant contingent de Cris dissidents et féroces. Adversaire acharné du nouveau régime, Big Bear tente depuis sept ans de se soustraire aux engagements du sixième

Le fort Walsh dessiné par un prisonnier en 1878.

traité. Peut-être rêve-t-il de former une grande fédération indienne assez forte pour s'opposer une dernière fois aux hommes blancs, mais il n'a pas l'occasion de réaliser ce rêve. Ce sont les Anglais et les Métis, notamment ceux de Prince Albert et de Batoche, qui prennent l'initiative. Les Métis savent que sans chef toute révolte est vouée à l'échec. Ils ne voient qu'une personne capable de jouer ce rôle: Louis Riel, le héros du soulèvement de la rivière Rouge. À l'été de 1884, Riel, qui vit aux États-Unis, revient au Canada pour prendre la tête des contestataires des rives de la Saskatchewan.

Pendant quelque temps, Riel se limite à des revendications constitutionnelles pacifiques. Cette première phase de son action aboutit, en décembre, à l'envoi d'une pétition générale à Ottawa. Riel y énumère les griefs dans la région et réclame un traitement plus libéral pour les Indiens, des

titres négociables pour les Métis et, enfin, l'entrée des Territoires du Nord-Ouest dans la Confédération à titre de province dotée d'un gouvernement responsable et maîtresse de ses ressources naturelles. Il est impossible de satisfaire à la plupart de ces demandes, notamment de remettre à Riel le pot-de-vin qu'il a discrètement réclamé. Le gouvernement est bien décidé à ne pas répéter l'erreur fatale qu'il a commise au Manitoba en accordant le statut de province à des collectivités beaucoup trop dispersées pour se doter d'un gouvernement autonome efficace. La seule revendication à laquelle il puisse donner une réponse positive est celle des Métis qui réclament un dédommagement en argent pour la perte de leurs droits du premier occupant. Le cabinet de Macdonald sait très bien qu'un peu d'argent n'améliore en rien le sort d'un peuple imprévoyant; néanmoins, il charge une

Le major James Walsh, qui a donné son nom au fort, pose dans son costume de patrouille devant un photographe de Chicago.

Le fort Walsh. Ci-dessus, son apparence actuelle, et ci-dessous, une photographie de 1878. On aperçoit les collines Cyprès à l'arrière-plan.

Deux membres du corps expéditionnaire, vêtus de costumes flamboyants, en compagnie d'un Indien au fort Walsh, en 1879.

Autre vue du fort, avec quelques wigwams au premier plan.

commission d'étudier les revendications des Métis du Nord-Ouest. Cette proposition aurait peut-être suffi à mettre fin à l'agitation, mais sous l'influence de Riel, les Métis se déclarent insatisfaits et la rejettent. Riel est maintenant convaincu que seule l'action révolutionnaire lui permettra d'arriver à ses fins. Les colons blancs ne veulent plus collaborer avec lui, les Métis de langue anglaise sont déterminés à rester neutres, et enfin, les prêtres catholiques des environs désapprouvent vivement sa conduite. Obsédé par le merveilleux souvenir de sa victoire de 1869-1870, Riel est incapable de voir les changements que la Confédération et le chemin de fer ont apportés dans le Nord-Ouest depuis quinze ans. Le 19 mars 1885, il forme avec quelques compagnons un gouvernement révolutionnaire provisoire à Batoche.

Il y a maintenant cinq postes de la Gendarmerie à cheval du Nord-Ouest dans la zone d'agitation, soit à Prince Albert, au fort Carlton, au fort Battleford, au fort Pitt et au lac Frog. Le fort Carlton, petit et mal défendu, est le plus vulné-

rable car il se trouve tout près de Batoche et des autres colonies métisses. Aux yeux de Riel, sa capture semble assurée, mais le fort est défendu par un détachement de policiers commandé par le major Crozier ainsi que par un groupe de volontaires de Prince Albert, et, pendant quelque temps, les deux camps se contentent de se surveiller prudemment. Soudain, le 26 mars, sans attendre les renforts expédiés de Regina qui s'approchent rapidement, Crozier décide de sortir de cette impasse et de se rendre avec une centaine d'hommes au lac Duck, à mi-chemin entre le fort Carlton et Batoche, pour y assurer la garde des approvisionnements. La petite troupe n'atteint pas sa destination. Elle doit battre en retraite après avoir été attaquée par un groupe de Métis dirigé par un ancien chasseur de bisons, Gabriel Dumont, devenu chef militaire dans le gouvernement de Riel.

Les pertes humaines sont assez importantes: douze policiers ou volontaires et cinq Métis; mais l'aspect militaire de l'événement est secondaire par rapport à ses répercussions politiques. La preuve

Officier à cheval avec deux camarades au fort Walsh, en 1879.

est faite que la Gendarmerie à cheval du Nord-Ouest n'est pas invincible. Les Indiens, qui jusque-là sont demeurés indécis et craintifs malgré leur envie de se rebeller, n'hésitent plus à se rallier à une cause qui semble déjà gagnée. Le 30 mars, le chef Poundmaker et sa tribu attaquent et pillent Battleford. Trois jours plus tard, la bande de Big Bear massacre huit Blancs et un Métis, soit tous les habitants du petit hameau du lac Frog à l'exception de trois; le 13 avril, Big Bear atteint le fort Pitt et exige sa reddition.

Terrifiée, la population blanche de la Saskatchewan-Nord se réfugie au fort Battleford. En 1880, une palissade de dix pieds a été érigée autour du fort, mais les policiers ainsi que les réfugiés se hâtent maintenant d'améliorer ces défenses. Des bastions sont ajoutés à deux angles du fort et deux compagnies de miliciens sont intégrées au corps policier. Pendant la majeure partie d'avril, alors que Poundmaker occupe Battleford et terrorise les environs, près de cinq cents colons blancs campent à l'intérieur du fort comme s'il était en état de siège. Le 22 avril, alors que le dénouement approche, l'inspecteur Francis Dickens se joint à eux avec vingt et un réfugiés du fort Pitt après avoir descendu la dangereuse rivière Saskatchewan-Nord sur une distance de cent milles à bord d'un chaland en mauvais état. Deux jours plus tard, le colonel W.D. Otter arrive de Swift Current à la tête de deux colonnes du Corps expéditionnaire du Nord-Ouest; le fort Battleford est libéré et Poundmaker se réfugie dans sa réserve.

Les troupes d'Otter constituent l'une des trois colonnes de la milice canadienne qui ont été expédiées dans l'Ouest pour mettre fin au soulèvement. Parties de la voie principale du Pacifique canadien, elles remontent vers les zones occupées par les Métis et les Indiens. Sur la gauche, le colonel T.B. Strange doit quitter Calgary pour attaquer Big Bear au fort Pitt en passant par Edmonton. Sur la droite, le colonel Frédéric Middleton a reçu pour mission de capturer Batoche et il part du fort Qu'Appelle le 6 avril en direction nord. La situation de Riel est maintenant désespérée. Il s'est écoulé dix jours depuis l'escarmouche du lac Duck et près de trois semaines depuis la formation du gouvernement provisoire. Sa seule victoire au cours de cette période décisive a été l'évacuation du fort Carlton. Il n'a ni attaqué Prince Albert, ni aidé Poundmaker à assiéger le fort Battleford, car il a opté pour la défensive plutôt que pour l'attaque; la concentration des forces métisses et indiennes, qui seule pourrait lui permettre de résister, semble maintenant impossible à réaliser. L'initiative appartient donc au général Middleton, qui marche résolument vers Batoche. Son avance est cependant ralentie à Fish Creek par Gabriel Dumont. Parvenu à proximité de la capitale métisse, le général Middleton se montre hésitant, incapable de prendre des dispositions efficaces; la principale ligne de défense des Métis, habilement renforcée par des abris de tireurs, est extrêmement bien protégée. La lutte demeure indécise jusqu'au quatrième jour. Le 12 mai, Batoche est prise d'assaut et le soulèvement prend fin.

Riel est capturé le 15 mai, Poundmaker se rend le 26 mai, et Big Bear, poursuivi à la fois par Middleton et Strange ainsi que par les policiers, se constitue prisonnier le 2 juillet.

Big Bear (le quatrième debout à partir de la gauche) négocie au fort Pitt, juste avant la révolte du Nord-Ouest.

En 1885, des troupes en route pour mater les rebelles encadrent les chariots d'approvisionnements.

L'ÉCHEC de l'insurrection du Nord-Ouest entraîne la détérioration rapide de l'ancien mode de vie dans les Prairies et assure la croissance et l'hégémonie d'une nouvelle société à prédominance anglo-protestante. La défaite de la «nouvelle nation» à Batoche accélère le déclin inévitable de la communauté métisse. Quant aux Indiens, ils demeurent un sujet d'inquiétude pour les générations futures, mais leur adaptation à leur nouveau milieu va dorénavant dépendre des grands facteurs de développement de l'Ouest. Ces nouveaux territoires, où l'exploitant type se voit concéder une terre de 160 acres ainsi qu'un droit de préemption sur les cent soixante acres avoisinants, peuvent se développer en toute liberté et sans interruption. C'est au début des années 1880, avec la construction du chemin de fer du Pacifique canadien, que l'Ouest connaît son premier essor, mais la vague de progrès s'arrête soudainement. Le pays connaît une nouvelle crise économique, l'immigration diminue, et, pendant plus de dix ans, le vaste territoire du Nord-Ouest, qui devait faire du Canada un pays, demeure oublié et désert. Vers 1895, l'espoir commence à renaître, mais c'est à la charnière du nouveau siècle que la situation change du tout au tout comme par miracle. L'immigration européenne reprend de façon massive et les colons affluent dans les Prairies. Au cours de la première décennie du XXe siècle, l'Ouest connaît le succès et prend conscience de sa réussite.

La carrière de William Richard Motherwell illustre bien cette époque à la fois difficile et exaltante. Fils d'agriculteur ontarien, il est né près de Perth, dans le comté de Lanark, et étudie au Collège d'Agriculture de Guelph. En 1881, au moment où s'amorce l'essor de la colonisation, il visite l'Ouest en vue de s'y établir. Un an plus tard, à l'âge de 22 ans, il y retourne et obtient une concession de 160 acres ainsi qu'un droit de préemption sur une autre terre avoisinante de même superficie dans le district d'Abernethy, au nord de

Maître dans l'art des combats et chef né, Gabriel Dumont a su gagner la confiance de ses compagnons et même l'admiration de ses ennemis. Riel l'appelait «oncle Gabriel».

CI-DESSUS: *Commerce avec les Indiens à Battleford, vers les années 1880. La nourriture est rare depuis la disparition du bison.*
CI-DESSOUS: *La libération de Battleford, au printemps de 1885.*

PAGE PRÉCÉDENTE: *Affrontement entre les Cris du chef Poundmaker et les troupes du colonel Otter, à Cut Knife Creek, quelques semaines avant la prise de Batoche.*

CI-DESSUS: *Batoche sous le feu des canons. Les Métis ont attaqué cette position peu de temps après que cette photographie fut prise.*
CI-DESSOUS: *Les pertes chez les rebelles sont lourdes malgré un réseau ingénieux de tranchées et d'abris.*

Prisonnier métis photographié peu après la défaite de Batoche; d'après la croyance populaire, ce prisonnier serait Riel lui-même.

la rivière Qu'Appelle, dans la région des collines Pheasant. Homme habile, travailleur et entreprenant, il est l'un des premiers à faire l'expérience des jachères; en 1890, nanti du titre de propriétaire et ayant acquis la terre sur laquelle il avait un droit de préemption, il est devenu un exploitant prospère. Marié, il est en mesure d'embaucher une servante. Sa maison en rondins est recouverte de planches et son étable compte trente bêtes à cornes. Cet homme trapu, aux cheveux foncés, à la barbe en broussaille et aux grosses moustaches, est un personnage important dans la région. Organisateur paroissial, commissaire d'école, juge de paix, il tente à deux reprises de se faire élire conseiller législatif, mais sans succès.

En 1897, les récoltes sont abondantes. Les colons des Prairies se rendent compte que leurs années d'efforts et de luttes leur ont enfin apporté la prospérité. L'époque de la vie simple de pionnier est révolue et les fermiers d'Abernethy se mettent à se construire de nouvelles maisons beaucoup plus spacieuses. Motherwell suit cette vague. Homme ambitieux, il veut une maison qui convienne à son rang de notable. Depuis longtemps, il rassemble patiemment des pierres des champs environnants et de la vallée de Pheasant Creek. L'été de 1897, il entreprend enfin la construction de sa nouvelle demeure sous la direction du maçon Adam Cantelon. Motherwell a choisi une forme rectangulaire pratique avec un hall central, typique

Mitrailleuse Gatling prêtée par la compagnie Colt lors de la campagne du Nord-Ouest.

de l'architecture de la Géorgie; il y ajoute cependant des éléments décoratifs caractéristiques des villas italiennes ou toscanes et qui ont été la grande mode au milieu du XIXᵉ siècle, ainsi qu'une abondance de dentelles du style *gingerbread* devenu populaire une génération plus tard. Le toit est surmonté d'ornements en fer forgé tandis que le porche, étroit et très haut, ainsi que son pignon sont abondamment décorés. Comme dans bien d'autres de ses entreprises, l'ascendance ontarienne de Motherwell transparaît dans sa nouvelle résidence, qu'il baptise Lanark Place en l'honneur de son comté natal.

La salle de séjour, vaste pièce confortable, est ornée d'une cheminée au manteau décoré ainsi que d'une lampe à huile couverte de pendeloques d'argent et suspendue au plafond. C'est dans cette pièce qu'à l'automne de 1901 Motherwell prend une décision tout aussi importante pour l'histoire du mouvement coopératif agricole de l'Ouest que pour sa propre carrière. Depuis des années, le chemin de fer permet aux propriétaires de silos d'exercer un quasi-monopole sur la manutention des céréales; pour l'exploitant, cela signifie souvent une piètre qualité, une pesée fausse, de lourdes pertes dans les livraisons ainsi que des prix dérisoires. Une loi fédérale, adoptée en 1900, vise à abolir ces abus mais, en 1901, les récoltes records qui surchargent les silos et les trains viennent démontrer aux exploitants que cette loi ne les protège pas suffisamment. C'est pour organiser un mouvement populaire de protestation contre ces injustices que Peter Dayman, membre du Parti conservateur, et Motherwell, un libéral, se rencontrent à l'automne dans la salle de séjour de Lanark Place. Assis devant une grande fenêtre au large rebord de pierre, Motherwell rédige un avis, signé également par Dayman, pour convoquer les fermiers à une réunion à Indian Head le 16 décembre. Les soixante-quinze fermiers en colère qui répondent à cette convocation acceptent de former une association dont la présidence est temporairement assurée par Motherwell. Le 12 février 1902, la Territorial Grain Growers' Association tient sa

À la barre des accusés au Palais de Justice de Regina, Riel, poussant l'insolence jusqu'au bout, s'élève contre son avocat qui vient de plaider la folie.

première réunion à Indian Head. Au cours de la première année de la présidence de Motherwell, l'Association obtient d'importantes modifications à la loi sur les céréales. Un agent du Pacifique canadien à Sintaluta est même condamné en justice pour avoir refusé, en dépit des nouveaux règlements, de répartir les wagons ferroviaires selon le principe du «premier arrivé, premier servi».

Devenu l'un des fondateurs du mouvement coopératif de l'Ouest, Motherwell peut enfin entrer en politique. En 1905, la Saskatchewan devient une province; Walter Scott, chef libéral, est élu Premier ministre et nomme Motherwell ministre de l'Agriculture. Seize ans plus tard, après la défaite des conservateurs aux élections fédérales de 1921, Motherwell accepte le même poste dans le premier cabinet de Mackenzie King.

La maison de Motherwell témoigne d'une époque un peu plus paisible dans l'histoire de l'Ouest.

7
Les artisans du Canada

Les délégués à la Conférence de Charlottetown, en 1864. Au premier plan, Sir John A. Macdonald et Sir George-Étienne Cartier.

Sir John A. Macdonald, photographed about 1863
Sir John A. Macdonald, vers 1863.

U N HOMME POLITIQUE, surtout s'il est Premier ministre, devient inévitablement un grand voyageur. En plus de parcourir souvent son pays, même en dehors des périodes d'élection, il doit parfois traverser frontières et océans pour effectuer des visites à l'étranger. Ayant généralement exercé une profession libérale ou fait carrière dans les affaires loin de la capitale de son pays, il doit, une fois élu, changer de lieu de domicile. S'il devient ministre, il peut acheter ou louer une maison et s'il est élu Premier ministre, il peut habiter une résidence officielle. Même à notre époque de grande mobilité, les hommes politiques semblent mener une vie définitivement plus nomade que la plupart d'entre nous. La grande majorité des Canadiens ont une existence beaucoup plus stable. Bien sûr, certains peuvent émigrer dans d'autres pays, d'autres provinces ou d'autres villes, mais nombreux sont ceux qui s'enracinent définitivement dès leur tout jeune âge dans une région particulière et même souvent un comté, une ville ou un village. Nos hommes publics semblent fort différents, mais cette différence est en somme plus superficielle que réelle. La plupart d'entre eux, et les Premiers ministres ne font pas exception, demeurent très attachés à une région ou à un lieu particulier, tout comme un arbre à son coin de terre; jusqu'à la fin de leur vie, leur attitude reflète souvent les particularités et les qualités du milieu où ils ont grandi.

John Alexander Macdonald était, pour sa part, profondément attaché à Kingston. En 1820, il n'a que cinq ans et demi lorsque ses parents, Hugh et Hélène Macdonald, quittent l'Écosse avec leurs quatre enfants pour Kingston, où ils s'installent provisoirement chez des parents, la famille Macpherson. La communauté écossaise de Kingston, regroupée autour de l'église St. Andrew, est de tendance nettement conservatrice et fort respectueuse de l'alliance britannique, mais nullement soumise à l'autorité du *Family Compact* du parti tory de Toronto. John Alexander passe son enfance à Kingston, à Hay Bay dans le comté de Lennox-et-Addington et à Glenora dans le comté de Prince Edward. Longtemps après, Alexander Campbell, un autre Écossais de Kingston, ami intime et premier associé de Macdonald, le décrira comme un jeune garçon typique de la baie de Quinte, utilisant les expressions familières de la région. Il fréquente l'école primaire du district de Midland, puis le collège d'enseignement classique et général du révérend John Cruickshank. Après avoir fait son apprentissage chez un autre Écossais de Kingston, George Mackenzie, il commence à exercer le droit dans un petit bâtiment de brique de la rue Wellington. D'abord conseiller municipal, il est élu pour la première fois député provincial de Kingston en 1844. Il représente Kingston à l'Assemblée de la province du Canada jusqu'en 1867 et, sauf en deux occasions, il conservera son siège au Parlement du Canada, de 1867 jusqu'à sa mort. C'est à Kingston qu'il connaît ses premiers succès professionnels, qu'il mène ses combats politiques les plus âpres, qu'il conserve ses attaches les plus chères et qu'il vit son premier amour.

Ce premier amour de John A. Macdonald est Isabella Clark, sa cousine par alliance. Leur grand-

Surnommée «Pagode Pekoe» par Macdonald, la maison Bellevue, si différente des tristes bâtiments du Vieux-Kingston, sera sa résidence au seuil de sa vie politique.

mère maternelle, Margaret Grant, a épousé d'abord William Shaw, puis un autre membre du clan, du nom de James Shaw, mais sans aucun lien de parenté avec le premier. Margaret, l'une des filles du premier mariage, s'est mariée avec un officier des Highland, Alexander Clark, tandis qu'Hélène, fille issue du second mariage, a épousé Hugh Macdonald. En 1842, lors d'un premier voyage en Angleterre, John A. Macdonald fait la connaissance de ses parents écossais et rencontre sa cousine Isabella. Un an plus tard, celle-ci traverse l'océan pour rendre visite aux familles Macpherson-Macdonald de Kingston; au bout de quelques mois, de quelques semaines peut-être, au cours du printemps et de l'été de 1843, John et Isabella découvrent leur amour réciproque. Ils forment un très beau couple. Grand et élancé, avec d'épais cheveux noirs frisés, un sourire désarmant, des manières cordiales et désinvoltes, John a l'art de se faire des amis. Les traits délicats et la douceur d'Isabella, de même que la simplicité et la sévérité de sa coiffure, fort à la mode dans les années 1840, lui donnent un air plus discret, mais derrière cette réserve apparente se cache une nature sensible et passionnée avivée par la fragilité même de son corps.

Le jeune couple ne connaît qu'une très brève période de bonheur parfait. Au printemps de 1845, moins de deux ans après son mariage, Isabella tombe gravement malade. L'été de cette même année, Macdonald l'amène à Savannah en Géorgie, à la recherche d'un climat doux et ensoleillé. Isabella reste près de trois ans aux États-Unis et, durant l'été de 1847, elle donne naissance à son premier fils, prénommé John Alexander comme son père.

Ce n'est qu'en juin 1848 qu'Isabella retourne à Kingston, mais, malheureusement, après tant d'attente et d'espoir, elle n'est pas encore totalement guérie. Éternel optimiste, Macdonald croit encore à sa guérison prochaine. D'après lui, la paix, la tranquillité et l'air pur de la campagne favoriseront le rétablissement d'Isabella; ainsi choisit-il une maison spacieuse près de Kingston, située à mi-pente d'une colline dominant le lac Ontario. Cette maison de brique enduite de stuc est en forme de L et ornée d'une tour carrée au centre, de petits balcons fantaisistes et de dentelles de bois aux avant-toits. Elle est probablement l'oeuvre de George Browne, l'architecte du magnifique Hôtel de Ville de Kingston. Son propriétaire, Charles Hale, est un épicier retiré qui la décrit fièrement à Macdonald comme une magnifique villa italienne. Le contraste entre les prétentions romantiques de ce propriétaire et son occupation, honorable quoique banale, d'épicier ne manque pas d'amuser les habitants de Kingston, qui surnomment sa villa «boîte à thé», «château de mélasse» ou «pavillon de cassonade». Macdonald la baptise «Pagode Pekoe» en présence de ses amis intimes, mais en public, il reprend le nom plus conventionnel de «Bellevue» que lui a donné Hale.

C'est dans cette nouvelle demeure que les Macdonald vont retrouver un bonheur que seuls peuvent connaître deux êtres éprouvés par une longue séparation. Isabella se consacre entièrement à son enfant, qu'elle n'a guère vu depuis sa naissance. Elle met à profit toutes ses qualités de femme écossaise judicieuse pour assumer enfin ses tâches de maîtresse de maison. Devenu un éminent avocat et un politicien en vue, Macdonald apprécie le calme de la vie de famille. C'est peut-être la période la plus idyllique de leur vie conjugale et même la mort tragique de leur enfant John Alexander ne pourra entièrement l'anéantir. Au péril de sa vie, Isabella donne naissance à un autre garçon prénommé Hugh John, des noms de son grand-père et de son père, et qui saura surmonter les dangers de la première enfance. En 1850, la petite famille est de nouveau au complet, mais Macdonald doit accepter la cruelle réalité: aucun climat, aucun traitement ni aucun médicament ne pourront jamais sauver Isabella. Désormais invalide, elle se sent frustrée dans ses rôles d'épouse et de mère; incapable également d'assumer son rôle d'épouse d'un homme politique, elle ne pourra jamais lui apporter le soutien et la présence dont il a tant besoin. Les premiers mois passés à Bellevue ne sont en fait qu'un bref intermède de bonheur dans une longue tragédie familiale.

Isabella, qui meurt au mois de décembre 1857, vivra assez longtemps pour voir son mari devenir le Premier ministre de la province du Canada. Le principal associé de Macdonald dans la division du Bas-Canada du nouveau gouvernement est George-Étienne Cartier. C'est un Canadien français de petite taille, trapu, aux cheveux en brosse, qui se distingue par son allure énergique et son élocution percutante et saccadée. Deux ans plus tôt, Macdonald n'a pas été particulièrement impressionné par Cartier, alors membre du cabinet libéral-conservateur à titre de secrétaire. De fait, il y a une différence très nette entre leurs antécédents familiaux, leurs premières expériences et leurs appartenances politiques antérieures. L'antagonisme de leurs positions respectives lors des insurrections de 1837 est frappant. Macdonald s'est joint aux forces loyales qui ont cerné *Montgomery's Tavern* et la petite armée rebelle de William Lyon Mackenzie, tandis que Cartier a combattu aux côtés des Patriotes contre les troupes régulières britanniques de Gore à la bataille de Saint-Denis; il est de ceux qui ont été contraints de s'exiler après la rébellion et à qui Lord Durham a interdit de revenir dans la province sous peine de mort.

Vingt ans après ces événements, les opinions politiques de Cartier semblent radicalement changées, mais peut-être beaucoup plus en apparence qu'en réalité. Cartier a cru au bien-fondé de la lutte de Papineau contre le gouvernement oligarchique des années 1830, mais il n'était ni un républicain, ni un ultra-démocrate. Pour lui, les institutions parlementaires et le gouvernement responsable constituent le meilleur système politique conçu par l'homme, et il n'a jamais approuvé les théories économiques réactionnaires de Papineau ni son opposition farouche au progrès matériel. Cartier estime que la croissance économique et l'expansion territoriale sont des objectifs louables pour un gouvernement, et les fonctions qu'il cumule à titre de conseiller juridique de la compagnie ferroviaire du Grand Tronc et de ministre provincial démontrent bien avec quelle facilité il peut s'adapter à la vie trépidante de la province du Canada des années 1850.

«Cartier est un Montréalais à cent pour cent», écrit Macdonald en 1855. En fait, Cartier est né à Saint-Antoine dans le comté de Verchères et, au cours des treize premières années de sa carrière politique, il est député de ce comté à l'Assemblée provinciale. Son comté occupe le petit triangle au

CI-DESSUS: *George-Étienne Cartier, Père de la Confédération et «un Montréalais à cent pour cent».* CI-DESSOUS: *William Henry Pope, hôte de la Conférence de Charlottetown.*

CI-DESSUS: *La maison de Pope, à Charlottetown, à la veille de la Confédération.* À GAUCHE: *À la suite de transformations ultérieures, elle a perdu sa symétrie tout en conservant son charme.*

confluent du fleuve Saint-Laurent et de la rivière Richelieu, à peu de distance de Montréal. Dès son jeune âge, la vie de Cartier est axée sur Montréal, la ville la plus populeuse du Canada. À l'âge de 10 ans, il fréquente le Collège de Montréal, et, en 1835, il est admis au Barreau de Montréal. Sept ans plus tard, il ouvre son étude d'avocat sur la rue Saint-Vincent, où il passera la majeure partie de sa carrière. En 1848, soit un an après son mariage avec Hortense Fabre, il choisit comme lieu de résidence une maison de la rue Notre-Dame, qu'il occupera également fort longtemps. Habiter constamment la même maison est naturellement chose impossible pour un ministre du cabinet de la province du Canada. Tous les quatre ou cinq ans, la législature provinciale siège alternativement à Toronto et Québec, et ce n'est qu'à la fin de 1865, après d'interminables discussions et de longs atermoiements, qu'elle s'établit de façon définitive à Ottawa. Cartier séjourne, à diverses périodes, au square St. George à Toronto, sur la rue Saint-Louis à Québec et sur la rue Metcalfe à Ottawa, mais c'est à Montréal, tout près de l'angle des rues Notre-Dame et Berri, au coeur d'un quartier ancien mais toujours à la mode, qu'il réside le plus longtemps. Sa demeure est une maison de ville typique à trois étages, ouvrant sur le trottoir, avec quatre fenêtres symétriques aux deuxième et troisième étages, et un passage voûté pour les voitures, près de la porte d'entrée. À l'intérieur, les corniches de plâtre, les linteaux ciselés des cheminées et les moulures fines des portes et des fenêtres reflètent l'élégance raffinée des années 1830 et 1840.

Macdonald ne tarde pas à se faire une nouvelle opinion du député de Verchères. Sa présence dynamique, sa vitalité débordante, son jugement sûr et son enthousiasme inébranlable font de Cartier un précieux associé, et jamais homme politique canadien-français ne saura autant que lui gagner la confiance de Macdonald. «Cartier, dira-t-il plus tard à Sir Joseph Pope, est aussi audacieux qu'un lion. Sans lui, la Confédération n'aurait jamais vu le jour.» La Confédération triomphe parce qu'elle traduit les convictions à peu près identiques de Cartier et de Macdonald. Tous deux croient profondément en une monarchie constitutionnelle, des institutions parlementaires et un gouvernement responsable. Cartier se méfie du républicanisme américain et déclare à l'Assemblée législative que le trait dominant de la nouvelle constitution fédérale sera son caractère monarchique. Macdonald aurait préféré une union législative, mais Cartier a réussi à le rallier à la cause du fédéralisme. Cependant, même s'il est un ardent partisan du système fédéral, Cartier, tout comme Macdonald, préconise une fédération suffisamment forte pour entraîner la création d'une seule grande nation.

A LA FIN DU MOIS D'AOÛT 1864, lorsque six membres du gouvernement de coalition, Macdonald, Brown, Cartier, Galt, Langevin et McDougall, montent à bord du vapeur *Queen Victoria*, à destination de Charlottetown, il est fort difficile de prévoir l'issue de leur mission. Ayant appris que les gouvernements de la Nouvelle-Écosse, du Nouveau-Brunswick et de l'île du Prince-Édouard envisageaient de se réunir pour discuter d'une éventuelle union législative des trois provinces de l'Atlantique, le gouvernement canadien a obtenu la permission d'envoyer une délégation chargée d'exposer, à titre officieux bien sûr, un projet tout à fait différent, celui d'une fédération des colonies britanniques de l'Amérique du Nord. Dans l'esprit des délégués canadiens, il n'y a pas d'incompatibilité entre une union des provinces maritimes et une fédération de l'Amérique britannique du Nord; il serait même plus facile d'intégrer une seule province atlantique dans l'union fédérale plutôt que trois. Il est fort douteux, cependant, que la Nouvelle-Écosse, le Nouveau-Brunswick et l'île du Prince-Édouard consentent à entreprendre deux refontes constitutionnelles osées à si brève échéance. Le jeudi matin premier septembre, alors que le *Queen Victoria* s'avance lentement dans le port de Charlottetown, les Canadiens, impatients et inquiets, se perdent encore en conjectures sur l'accueil qui leur sera réservé.

Le gouvernement de l'île a nommé William Henry Pope à la tête du comité d'accueil des délégués à la Conférence de Charlottetown. Pope est un homme relativement jeune puisqu'il n'a pas encore quarante ans en 1864; bien que sa famille joue depuis longtemps un rôle important dans la politique de la province, son élection à l'Assemblée est toute récente. Il est avocat et détient le poste de secrétaire provincial dans le gouvernement conservateur du colonel John Hamilton Gray; à l'instar de nombreux hommes publics nord-américains pour qui le journalisme est un complément à une carrière commerciale, libérale ou politique, il est propriétaire et directeur de l'un des journaux trihebdomadaires de Charlottetown, *The Islander*. Le gouvernement ne pouvait mieux choisir son représentant. Pope est un homme distingué et imposant, et ses manières, quoique légèrement cérémonieuses, sont courtoises et affables.

On peut donc lui faire entièrement confiance pour accueillir les délégués canadiens non seulement avec la plus grande courtoisie mais aussi avec un vif enthousiasme, car il est l'un des rares hommes publics de l'île à croire sincèrement en la fédération de l'Amérique britannique du Nord. Par ce matin ensoleillé de septembre 1864, Pope se dirige précipitamment sur le quai pour découvrir, à sa grande stupéfaction, que le *Queen Victoria* — le bateau de la Confédération, comme l'appellent les insulaires — n'a pas accosté, mais qu'il a simplement jeté l'ancre dans le port. S'il veut accueillir personnellement les délégués canadiens, Pope doit se rendre jusqu'au *Queen Victoria*; or, la seule embarcation disponible est une ridicule petite barque à rames. Malgré sa répugnance, Pope s'installe avec précaution dans le petit bateau et, «avec toute la dignité qu'il peut revêtir... assis dans une embarcation à fond plat chargée d'un baril de farine à l'avant et de deux gros pots de mélasse à l'arrière et accompagné d'un pêcheur robuste, il part à la rencontre des visiteurs de marque».

Charlottetown connaît alors une extraordinaire affluence de visiteurs attirés par la première tournée d'un cirque dans l'île en vingt ans. La délégation canadienne, qui comprend neuf personnes dont trois secrétaires, est trop nombreuse pour être hébergée au même endroit. Quelques-uns réussissent à trouver une chambre d'hôtel, mais la plupart restent à bord du *Queen Victoria*. George Brown est le seul Canadien à être hébergé par un des ministres de la province, en l'occurrence William Henry Pope. Ce dernier manifeste un vif intérêt à l'égard de cet homme qui est sans aucun doute le plus célèbre journaliste de l'Amérique britannique du Nord. La demeure de Pope abrite toute une nichée d'enfants ainsi que Brown aimait le rappeler, mais elle est suffisamment vaste pour héberger des visiteurs. C'est une grande maison basse, d'une conception assez particulière; bien qu'en bois, elle évoque vaguement un manoir Tudor. À chaque extrémité, une aile à deux étages et à pignon est éclairée par une grande fenêtre en rotonde, tandis que la partie centrale à un seul étage comporte une vaste véranda. C'est là que le vendredi après-midi, à l'issue de la première séance de la Conférence, Pope offre en l'honneur de ses hôtes un festin d'huîtres, de homards et d'autres spécialités de l'île. Cette nuit-là, George Brown contemple rêveusement la vue qui s'offre à lui par l'une des grandes fenêtres de la maison de Pope et, au-delà de l'allée circulaire et des terrains boisés, il voit une magnifique lune dorée se lever au-dessus des eaux calmes du port.

Au cours de ces premiers jours de la Conférence de Charlottetown, tout laisse croire que le jeune et enthousiaste William Henry Pope sera l'un des principaux défenseurs du projet de fédération de l'Amérique britannique du Nord, mais la politique de l'île du Prince-Édouard va en décider autrement. Pope assiste à la Conférence de Québec à titre de délégué de sa province; cependant, certains détails du projet fédéral canadien et la place insignifiante, pour ne pas dire honteuse, réservée à l'île au sein de cette fédération soulèvent l'indignation des insulaires, qui manifestent rapidement leur opposition au projet. Pope ainsi que quelques autres partisans de la Confédération doivent défendre une cause perdue d'avance. Le colonel J.H. Gray, fervent partisan de l'union, démissionne de son poste de Premier ministre et il est remplacé par le frère cadet de Pope, James Colledge Pope, farouche adversaire de la Confédération. Pendant des années, W.H. Pope ne cessera de s'opposer à son frère, mais en vain. En 1873, l'île du Prince-Édouard, après avoir longtemps négocié de meilleures conditions, entre finalement dans la Confédération. Ironie du sort, c'est J.C. Pope, et non William Henry, qui se rend à Ottawa conclure les dernières dispositions. W.H. Pope abandonne la politique et accepte la modeste consolation d'un poste de juge de comté.

L'année 1873 met donc fin à la carrière prometteuse d'un éminent résident de l'île du Prince-Édouard, mais elle marque également l'élection inattendue d'un modeste immigrant écossais au poste le plus important du nouveau Dominion du Canada. Alexander Mackenzie, né en 1822, n'a que trois ans de plus que W.H. Pope; dans cette génération qui a créé la Confédération, tous deux sont un peu plus jeunes que leurs principaux dirigeants et peuvent s'attendre à acquérir rapidement prestige et pouvoir. Le hasard et la malchance ont anéanti la carrière de Pope; par contre, c'est grâce à son énergie, à sa détermination, à son travail acharné et aussi à sa bonne étoile que Mackenzie connaît soudainement les sommets de la gloire. Cet homme ne possède au départ aucun des atouts de Pope; il n'a ni une très bonne instruction, ni une famille d'un certain renom, ni des relations influentes dans le milieu politique. À vingt ans, il

Alexander Mackenzie, entrepreneur de construction et homme d'État.

quitte en 1842 son comté natal de Perth pour le Canada, n'emportant avec lui qu'un peu d'argent, quelques livres, ses outils ainsi que son métier de maçon. Cet homme aux manières rudes et franches, au teint pâle, aux cheveux roux, aux yeux d'un bleu perçant et au menton volontaire, inspire confiance. De plus, sa foi baptiste sincère et l'austérité de ses convictions puritaines sont garantes de son sérieux et de son dévouement. À Kingston, qui bourdonne d'activité depuis son accession au rang de première capitale de la nouvelle Province unie du Canada, Mackenzie se trouve facilement du travail; au cours des années suivantes, il est tour à tour tailleur de pierres, contremaître et entrepreneur pour la construction de maisons, de forts, de canaux et de tours Martello. Lorsque le siège de la capitale est transféré à Montréal, l'essor de Kingston prend fin; la période de construction des canaux est également terminée et Mackenzie décide de s'installer plus à l'ouest, à Port Sarnia.

Sarnia se trouve à la frontière sud-ouest de la province, juste en aval de l'entrée de la rivière Sainte-Claire, à l'extrémité sud du lac Huron. En 1847, date de l'arrivée de Mackenzie, ce n'est

qu'un village de quelques centaines d'habitants, mais grâce à la construction du chemin de fer, il va bientôt se développer rapidement et la réussite de Mackenzie ira de pair avec cet essor. Le nom de Mackenzie devient aussi étroitement lié à Sarnia que celui de Macdonald à Kingston et celui de Pope à Charlottetown. Sa mère et ses sept frères l'ont vite rejoint dans sa petite ville frontalière. À Sarnia, comme dans les villes avoisinantes de Chatham et Sandwich, il bâtit des édifices solides, simples et austères. Mackenzie et son frère aîné, Hope Fleming, tous deux de passionnés *clear grits* et de fervents admirateurs de George Brown, ne tardent pas à se mêler activement de politique dans la région. Hope est d'un caractère plus aimable et plus pacifique que son frère Alexander, dont les cheveux roux et la mâchoire étroite trahissent la combativité, le verbe mordant et le sectarisme inflexible. Élu maire de Sarnia, Hope se mérite, le premier, un siège à l'Assemblée provinciale. Toutefois, sa mauvaise santé l'empêchant de se représenter à l'élection générale de 1861, c'est Alexander qui prend sa place et remporte, après une dure lutte, le siège de la circonscription de Lambton.

Lorsqu'en 1861, Alexander Mackenzie se joint, pour la première fois, à la législature provinciale, les réformistes n'ont plus de chef. George Brown, auquel s'est rallié Mackenzie, a été défait à l'élection générale de 1861 et ne reviendra pas au Parlement avant deux ans. Les partisans de Brown forment sans aucun doute le groupe politique le plus important parmi les députés de langue anglaise, mais ils ne rallient pas tous ceux qui ont adopté l'étiquette de réformistes dans l'Ouest. Quant à leurs relations avec les réformistes de langue française, ou les «rouges» de l'Est, elles sont très ténues et mal définies. Ces profondes dissensions au sein du parti réformiste ou libéral s'accentuent par suite de la grande polémique suscitée par la Confédération. Lors de la première session du Parlement fédéral, on peut désigner sous le nom d'Opposition les membres placés à la gauche de l'Orateur pour la seule raison qu'ils s'opposent au gouvernement de Sir John A. Macdonald; cependant, ils sont trop divisés en factions régionales pour mériter le titre de parti libéral national. De plus, ils n'ont pas de chef puisque Brown, battu une seconde fois à l'élection générale de 1867, a

Monument érigé à la mémoire d'Alexander Mackenzie, à Sarnia, en Ontario.

pris la décision irrévocable d'abandonner la politique.

Cinq ans se passent avant que les libéraux décident de nommer Alexander Mackenzie chef du parti. Lorsqu'en 1873 le scandale du Pacifique canadien favorise soudainement leur arrivée au pouvoir, le parti manque encore visiblement de cohésion et d'unanimité. Les libéraux ne gagnent pas l'élection générale de 1874 grâce à leur mérite, mais plutôt à cause du discrédit et du mépris qui ont frappé les conservateurs. Mackenzie et ses collaborateurs divisés ne sont absolument pas prêts à accéder au pouvoir, et la crise économique qui débute presque au moment de leur entrée en fonctions leur apporte une série interminable de problèmes insolubles. Aucune administration n'aurait peut-être pu survivre aux années désastreuses de la grande crise, mais le cabinet de Mackenzie, en butte à la déloyauté, à l'irresponsabilité ainsi qu'à l'incompétence, flanche sous le fardeau. Harcelé de tous côtés, le Premier ministre se heurte à des difficultés innombrables pour nommer ses ministres, mais la province qui lui cause le plus d'ennuis est le Québec. Ce n'est qu'à la toute fin, alors qu'il est trop tard pour sauver son gouvernement, que Mackenzie découvre en Wilfrid Laurier l'homme capable d'assurer l'avenir du parti libéral.

HENRI CHARLES Wilfrid Laurier est né en 1841, un an avant l'arrivée d'Alexander Mackenzie au Canada. Les Mackenzie, tout comme avant eux les Macdonald, représentent les immigrants écossais typiques de la première moitié du XIXe siècle; quant aux Pope, famille plus ancienne et plus prospère, ils n'ont probablement pas quitté le sud-ouest de l'Angleterre avant 1800. Les Laurier, par contre, sont en Amérique du Nord depuis fort longtemps. Leur ancêtre est François Cottineau, dit Champlaurier, venu en Nouvelle-France en 1665 comme soldat dans le régiment de Carignan-Salières. Pendant les cent soixante-quinze années suivantes, plusieurs générations de Laurier se succèdent; ces colons robustes défrichent les forêts, cultivent la terre, construisent des maisons et des étables, se marient et élèvent des enfants. Leur vie est simple, dure et épuisante, mais les Laurier sont des pionniers dans l'âme. À cause de l'expansion démographique de l'île de Montréal, où ils se sont d'abord installés, ils remontent peu à peu vers le nord. Un jour, Carolus Laurier reçoit en cadeau de son père une ferme située près du petit village de Saint-Lin, sur la rivière Achigan, et c'est là que naît son fils aîné Wilfrid.

La maison des Laurier est petite, d'une simplicité austère, surmontée d'un toit en forme de cloche; l'entrée centrale est flanquée de fenêtres à volets et donne sur une longue véranda étroite. On entre immédiatement dans le salon qui occupe toute la façade de la maison. À l'arrière sont aménagées deux petites pièces, une chambre à coucher et une cuisine d'où un escalier circulaire, étroit et abrupt, conduit à un deuxième étage mal éclairé. La maison est située sur la rue principale d'un petit village frontalier. À une vingtaine de milles au nord, se dessine nettement la ligne bleue des Laurentides. La vallée de la rivière Achigan marque pratiquement la limite du village et elle offre toute la diversité d'une région de pionniers qui n'a pas encore trouvé son vrai visage. Les habitants de Saint-Lin sont des cultivateurs mais, sur le cours supérieur de la rivière, certains colons pratiquent également l'exploitation forestière. Alors que Saint-Lin regroupe une population francophone et catholique, New Glasgow, situé à six milles seule-ment à l'ouest, a été colonisé par d'anciens soldats de l'armée britannique et est demeuré essentiellement presbytérien.

C'est grâce à ce voisinage amical que, dès son jeune âge, Wilfrid s'intéresse au second groupe de la population du Canada. Homme sage, son père estime qu'il doit connaître le mode de vie et la langue de ses voisins anglais; c'est ainsi que de l'âge de 11 à 13 ans, il vit à New Glasgow, s'initie aux idiomes des Kirk et des Murray et lit les classiques de la littérature anglaise à l'école du village. New Glasgow n'est qu'un bref intermède dans sa vie et le jeune Laurier passe les sept années suivantes au Collège de l'Assomption, école secondaire canadienne-française typique qui accorde une grande importance aux auteurs latins et dont la langue d'enseignement est le français. Dès cette époque, Wilfrid Laurier a décidé de devenir avocat et, en 1861, il vient s'installer à Montréal pour faire trois années de droit à l'université McGill, où se trouve la seule faculté de droit dans la ville et où la plupart des cours sont dispensés en anglais. À la fin de ses études, en mai 1864, Laurier prononce le discours d'adieu de sa promotion. Il parle en français, mais nullement par esprit de provocation ou par sectarisme puisqu'il déclare qu'il n'y a qu'une seule famille, la famille humaine, quelle que soit la langue ou la religion.

Carolus Laurier a toujours été un fervent patriote et un membre du parti libéral. Rodolphe Laflamme, chez qui Wilfrid a été placé en apprentissage pendant ses trois années de droit, est un rouge convaincu et il présente fièrement son brillant élève à ses amis politiques. Vers le milieu des années 1860, les rouges ont passablement mis la sourdine à leurs idées anticléricales et républicaines, mais leur club littéraire, l'Institut canadien, se heurte néanmoins à l'hostilité des évêques. Malgré tout, Laurier ne manque pas d'afficher courageusement ses convictions politiques en devenant l'un de ses vice-présidents. En 1866, une prédisposition à la tuberculose l'obligeant à quitter le climat malsain de Montréal, il accepte volontiers de combiner son travail de propagande politique à une vie plus saine à la campagne. Il s'installe dans une petite ville des Cantons de l'Est qui sera bientôt rebaptisée Arthabasca. Pendant quelques mois, il publie *Le Défricheur*, l'un des derniers journaux hebdomadaires rouges, jusqu'au jour où le journal

Sir Wilfrid Laurier prononçant un discours au Québec, en 1911.

Maison Natale de Sir Wilfrid Laurier
Birthplace of Sir Wilfrid Laurier

est condamné par le clergé. Cinq ans plus tard et toujours fervent libéral, Laurier réussit à gagner le siège de Drummond-Arthabasca à l'Assemblée législative provinciale et en 1874, lors de l'élection générale qui suit le scandale du Pacifique canadien, il est élu député dans la circonscription fédérale du même nom. Sa popularité croissante en tant que défenseur éloquent d'un libéralisme politique nouveau et plus modéré lui vaut un poste dans le cabinet d'Alexander Mackenzie. Plus tard, sous l'administration d'Edward Blake, qui succède à Mackenzie à la tête du parti libéral, Laurier devint un membre fort remarqué de l'Opposition. Lorsqu'en 1887, Blake, découragé, abandonne la direction du parti libéral, il insiste pour que Laurier lui succède. Au cours de la décennie suivante, Laurier gagne l'élection générale de 1896 et redonne ainsi aux libéraux le pouvoir qu'ils ont perdu près de vingt ans plus tôt.

Au début de l'été de 1900, une vague de prospérité semble assurer Laurier d'une seconde victoire à l'élection générale; c'est alors qu'un jeune protégé de William Mulock, ministre des Postes, fait son entrée dans la fonction publique fédérale à Ottawa. Nommé William Lyon Mackenzie King, ce jeune homme trapu, aux traits épais et à la bouche large, vient d'accepter le poste de directeur de la nouvelle revue canadienne, la *Labour Gazette*. Diplômé de l'université de Toronto, de l'université de Chicago et de l'université Harvard, le jeune Mackenzie King ne se distingue pas seulement par ses longues études, peu courantes chez un jeune fonctionnaire du début du siècle. Ses parents sont des gens exceptionnels et ses ancêtres maternels sont encore plus remarquables. Son grand-père paternel, John King, est venu au Canada comme simple artilleur, mais son grand-père maternel n'est nul autre que le redoutable William Lyon Mackenzie, qui fut le premier grand chef populaire du parti réformiste dans le Haut-Canada. Lors des révoltes de 1837, John King était posté à Kingston et il a aidé à repousser une attaque de sympathisants américains accourus à la rescousse des rebelles canadiens, mais ce modeste exploit militaire n'a guère d'importance à côté des vaines et tragiques tentatives de William Lyon Mackenzie pour renverser le gouvernement de sa province par les armes.

La maison de Laurier, à Saint-Lin, a été rénovée et meublée dans le style des années 1850.

Vers la fin de sa vie, Mackenzie King rappellera souvent que la généalogie de sa famille incarne, dans l'histoire britannique et canadienne, la réconciliation de deux tendances opposées, l'une loyaliste et l'autre révolutionnaire, et que lui-même est le fruit de cette entente. John King, le simple artilleur, ne peut être oublié car il symbolise l'opposition entre la Couronne et le peuple, mais c'est surtout William Lyon Mackenzie, le meneur de foule déchu, qui suscite de la fierté, de l'affection et de l'indignation au sein de la famille King. Même John King, le fils de l'artilleur, tente de rétablir la réputation de Mackenzie; sa femme, Isabel Grace, née lors de l'exil de son père aux États-Unis et témoin des difficultés et des déceptions qu'il a connues vers la fin de sa vie, nourrit l'espoir de réhabiliter son nom et d'effacer la honte et le discrédit dont il a souffert. Son rêve a tôt fait de se réaliser car son fils aîné, «Willie», qui porte le nom de son père et qui tout jeune fait preuve d'une grande intelligence et d'une force de caractère peu commune, est celui que le destin a choisi pour redorer le blason de la famille.

John King, le père de William Lyon Mackenzie King, diplômé de l'université de Toronto et écrivain d'une certaine classe, exerce sans trop de succès la profession d'avocat dans la petite ville de Berlin, rebaptisée Kitchener lors de la Première Guerre mondiale. Son épouse, Isabel Grace, est une jolie femme, pleine de vie, ambitieuse, très attachée à la vie mondaine; grâce à son sens de l'économie, le couple vit confortablement malgré ses faibles revenus. Les King forment un couple agréable et hospitalier, amateur de musique et de théâtre. Les soirées et les réceptions qu'ils donnent leur valent un certain renom dans leur petite ville. En 1886, alors que Willie n'a que douze ans, ils s'installent dans une nouvelle maison qui convient mieux à leur genre de vie; elle est située à un mille environ de la ville, un peu en retrait de la route, sur un terrain que le premier propriétaire a aménagé à la façon d'un petit domaine anglais. Baptisée «Woodside», c'est une maison basse, en briques, pleine de coins et de recoins, munie d'une aile à l'arrière et surmontée d'un toit à pignon. Elle est entourée de vieux arbres majestueux, d'un petit verger, de nombreuses plates-bandes de fleurs, de pelouses soignées et d'un petit étang de nénuphars. L'intérieur, avec ses meubles et ses

tapisseries d'un style assez lourd, typique de la fin de l'époque victorienne, dégage une impression de confort et de calme qui s'harmonise avec la campagne avoisinante. Les King ne louent cette maison que durant sept ans car John King déménage par la suite à Toronto dans le vain espoir d'améliorer sa carrière. Pour les enfants, toutefois, Woodside reste la maison familiale où ils ont vécu unis et ont connu une intimité et une solidarité peu communes. Située près de la ville sans en faire

Le jeune Mackenzie King, dans un cabriolet, à Woodside. Sur le porche de la maison, on aperçoit, de gauche à droite, sa sœur Bella, madame King et son frère Max ainsi que la gouvernante de la famille.

partie, cette maison contribuait à leur donner le sentiment de mener une existence différente et un peu à part.

C'est sur Willie que toute la famille fonde ses espoirs. Max, le fils cadet, reconnaît volontiers sa supériorité, et ses deux sœurs, Bella et Jennie, ne doutent pas qu'un avenir brillant lui soit promis. Sa mère croit fermement que Willie effacera le déshonneur de sa famille et lui redonnera son éclat. Elle n'hésite donc pas à faire tous les sacrifices possibles pour faciliter sa réussite. Au début, les hautes ambitions qu'elle nourrit à son égard sont très vagues. La carrière politique, qui lui rappelle de sombres souvenirs, n'est pas son premier choix. Toutefois, dès que son fils quitte la fonction publique pour l'arène politique et devient le premier ministre canadien du Travail, elle ne doute plus qu'il atteindra les plus hauts sommets de la vie publique.

Malgré sa défaite aux élections générales de 1917, King ne peut oublier la mission dont l'ont chargé ses parents et ses sœurs. Il doit tout à sa famille et c'est par un dévouement sincère envers elle, le souvenir des années passées ensemble et une fidélité inébranlable à la tradition politique familiale qu'il témoigne sa reconnaissance. Il se considère comme l'héritier de Sir Wilfrid Laurier et il est convaincu que la Providence le destine à une noble et grande cause. Ce sens de la destinée et cette confiance absolue en l'avenir trouvent leur origine dans le passé de sa famille et l'histoire de son pays. Jamais il n'oubliera les sept merveilleuses années passées à Woodside, et souvent, dans les grandes comme dans les petites circonstances de sa vie, le souvenir de cette époque lui reviendra en mémoire. Son élection à la tête du parti libéral est peut-être l'événement le plus décisif de toute sa carrière, mais même à l'heure du triomphe, son esprit retourne vers le passé. «Je n'avais de pensées, écrit-il dans son journal, que pour mes chers parents et la petite Bella, que je sentais tous très près de moi, ainsi que pour mon grand-père et Sir Wilfrid.»

Après plusieurs années d'abandon, la maison Woodside a repris l'aspect qu'elle avait lorsque la famille King l'habitait.

C'est probablement la cuisine qui servait de lieu de réunions quotidiennes et aussi lors des grandes occasions.

Le futur Premier ministre, entouré de ses parents et de sa soeur Bella.

8 Voies d'eau et

routes aériennes

DEUX PROBLÈMES MAJEURS hantent les Canadiens: les transports et les communications. Leurs entreprises nationales les plus ambitieuses et les plus coûteuses sont lancées précisément pour accélérer le transport des hommes ou des marchandises et la transmission des informations. Cet intérêt qu'ils portent à l'espace et aux moyens de le franchir et, par conséquent, de le vaincre, se manifeste dès l'arrivée des premiers colons sur les rives du Nouveau Monde. Le but des explorateurs qui traversent l'Atlantique Nord n'est pas de découvrir l'Amérique du Nord, mais l'Asie de l'Est. Cabot espère atteindre le Cathay et Cartier se propose de trouver une voie d'eau navigable conduisant en Extrême-Orient. La constatation que l'Amérique du Nord est un continent et non un archipel ne détruit pas l'espoir de le contourner par le nord. Par la suite, la découverte du passage du Nord-Ouest n'est plus le seul ni même le principal but des explorateurs. Les Français, comme les Anglais de la côte atlantique, prennent conscience de l'immensité et des énormes possibilités du Nouveau Monde. Surtout, ils découvrent le Saint-Laurent, le seul fleuve qui conduit de la côte est jusqu'au coeur du continent. Cette découverte va influer profondément sur l'avenir, non seulement de la Nouvelle-France, mais aussi de l'Amérique britannique du Nord et du Canada.

Le Saint-Laurent est un joyau unique. Avec les Grands Lacs qui s'y déversent, il forme un vaste empire géographique qui contraste radicalement avec sa région rivale, le littoral atlantique, occupé par les colonies anglaises. Le littoral est une longue bande de terre, relativement étroite, bornée à l'est par l'océan et, à l'ouest, par les hautes terres des Appalaches. Possédant un sol et un climat variés, il favorise les établissements stables et contigus ainsi que les occupations traditionnelles en Europe, c'est-à-dire la culture, la pêche et le commerce. Les habitants de la Virginie et de la Nouvelle-Angleterre se tournent vers l'est et tirent leur subsistance de l'océan, des bancs de pêche et des marchés lointains de l'Europe et des Antilles. Par contre, dans le Bas-Saint-Laurent, dès les premiers jours d'occupation, les Français se tournent vers l'ouest, vers le grand domaine intérieur que le Saint-Laurent leur offre. Le fleuve encourage la mobilité, invite à l'exploration, promet des déplacements rapides et peu coûteux. Il inspire un rêve auquel, par la suite, des générations de Canadiens se cramponneront avec ténacité, celui d'un grand réseau de transport d'un océan à l'autre, autour duquel s'édifierait un empire commercial. Dans l'optique de ses propriétaires ambitieux qui veulent le mettre en valeur, le Saint-Laurent doit devenir une voie d'eau internationale grâce à laquelle les produits indigènes de l'intérieur pourront être échangés contre les produits manufacturés en Europe occidentale. Le commerce de la fourrure, cette étrange entreprise rendue possible par le bouclier précambrien et le réseau de drainage du Saint-Laurent, est la première initiative qui transforme le rêve en réalité. Il s'étend jusqu'aux limites territoriales du Canada d'aujourd'hui et devient l'archétype de la vie économique du pays.

La Grande-Bretagne remplace la France comme grand marché européen et principale source de produits finis. Dans l'Ouest, le blé et la farine, les billes et le bois d'oeuvre succèdent aux fourrures. Les canots et les embarcations York sont suivis des barques à fond plat, des chalands, des radeaux pour le transport du bois, des voiliers et, finalement, des bateaux à vapeur. Les cargaisons changent, les méthodes de transport se modifient, mais les nouveaux modes de transport utilisent le fleuve et les lacs tout comme les anciens. Le trafic ne cesse d'augmenter au point que le Saint-Laurent ne peut plus répondre à cette demande. C'est un cours d'eau noble, mais jeune, obstiné, turbulent, qui révèle trop nettement la formation récente de son lit. Dans le Haut-Saint-Laurent, son chenal est interrompu à Lachine et à Niagara par de puissants rapides, et sur l'Outaouais et ses autres affluents, par une série d'obstacles.

À l'époque du commerce de la fourrure, ces ruptures n'ont guère d'importance. Les embarcations de transport, en amont comme en aval, sont plutôt légères et se prêtent bien au portage. Les trappeurs transportent simplement en paquets leurs fourrures et la marchandise à échanger et font du portage d'un point navigable à un autre. Ces moyens primitifs suffisent aussi longtemps que le commerce se fait par le Saint-Laurent. L'arrivée des Loyalistes et les premiers peuplements agricoles sur les bords des Grands Lacs inférieurs entraînent une révolution économique qui exige de toute urgence de meilleurs modes de transport. Si le Saint-Laurent doit servir de voie d'eau pour le transport jusqu'à la côte de nouvelles marchandises essentielles, il faut le rendre navigable sur toute sa longueur. L'aménagement du fleuve devient donc bientôt un sujet de grand intérêt pour les gouverneurs, les marchands et les nouveaux colons. Le XIXe siècle est à peine entamé lorsque les deux petites provinces du Haut et du Bas-Canada s'engagent à fond dans un programme ambitieux de construction de canaux.

Antérieurement, au cours de la Révolution américaine et avant que l'ancienne province de Québec ne soit divisée pour former les deux Canadas, le gouvernement a déjà commencé de difficiles travaux sur le tronçon central du fleuve, entre Montréal et le lac Saint-François. En effet, les communications avec le lac Ontario ont pris de plus en plus d'importance pendant la guerre, car les régiments loyalistes, qui utilisent le fort Niagara et l'île Carleton comme bases pour leurs raids dans l'État de New York, doivent être approvisionnés régulièrement. D'autre part, le gouverneur, Sir Frederick Haldimand, sait que la première section du Haut-Saint-Laurent est celle qu'il peut améliorer le plus facilement avec les ressources dont il dispose. Il n'est pas question évidemment de percer des canaux, mais seulement des passages pour les barques et les chalands, et les ouvrages aux Cèdres et aux Cascades ne sont guère plus que des fossés. À Coteau-du-Lac, où la rivière Delisle se déverse dans le Saint-Laurent et où les rapides Coteau commencent, le capitaine William Twiss, ingénieur de Haldimand, entreprend des travaux plus considérables. Immédiatement en amont de l'embouchure de la rivière et face aux rapides, Twiss perce un canal étroit dans la bande de terre qui avance dans la rivière, et rejoint ainsi les eaux calmes plus à l'ouest. L'entreprise est bien humble, mais non sans importance, puisqu'on la protège par un fossé, des ouvrages en terre et un blockhaus. La construction, commencée en 1779, se poursuit jusqu'à la fin de l'année suivante.

La Guerre de 1812 fait ressortir de façon impitoyable, encore plus que la guerre de la Révolution, les graves faiblesses du réseau de transport du Saint-Laurent. Le fleuve devient rapidement la seule route d'approvisionnement du Haut-Canada et constitue une frontière presque indéfendable. La ligne vitale sur laquelle la province compte pour son existence est malencontreusement coupée par des chutes ou des rapides et exposée aux attaques en de multiples points. Nul besoin de trouver d'autre explication à la défaite de Barclay à Put-in Bay et de Procter à Moraviantown que l'impossibilité d'expédier d'urgence canons et équipement à Amherstburg. La descente de Wilkinson sur le Saint-Laurent à l'automne de 1813 est la preuve éclatante que le fleuve peut être utilisé autant pour l'attaque que pour la défense. La guerre fournit un argument militaire incontestable en faveur de l'amélioration du réseau de transport; d'autre part, l'immigration d'après-guerre, avec son nouvel afflux de colons dans les provinces en amont, apporte bientôt du poids aux arguments d'ordre commercial militant pour le percement de canaux. Deux ouvrages commencés vers 1825, le canal Welland et le canal Rideau, sont le fruit de ces

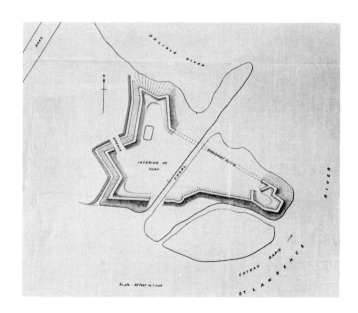

Ancienne carte de Coteau-du-Lac, illustrant les fortifications principales.

pressions croissantes. Le canal Welland, qui contourne l'énorme obstruction que forment les chutes Niagara en traversant la péninsule entre le lac Érié et le lac Huron, est une entreprise commerciale. Le canal Rideau, lui, est construit pour offrir une route plus sûre au nord du Bas-Saint-Laurent et est inspiré par des considérations militaires.

Ces travaux se heurtent à des difficultés monstres. La chute de trois cents pieds entre les lacs Érié et Ontario ainsi que la configuration de la péninsule Niagara déroutent les constructeurs du canal Welland pendant un bon moment; quant aux problèmes techniques que soulève le canal Rideau, ils sont peut-être encore plus complexes et plus coûteux à résoudre. La première étape du tracé long et sinueux entre Montréal et la rivière Rideau en remontant l'Outaouais est coupée en divers endroits par des rapides infranchissables. Surmonter ces obstacles est une affaire coûteuse en soi, mais ce n'est qu'un prélude nécessaire à la réalisation du projet principal, soit la construction d'une voie d'eau navigable de cent vingt-cinq milles entre l'emplacement de la future ville d'Ottawa et Kingston. La rivière Rideau, qui se déverse dans l'Outaouais, et la rivière Cataraqui, qui se jette dans le lac Ontario, de même que le dédale de lacs qui les relie, constituent le réseau de base de la nouvelle voie; ils traversent un territoire pratiquement inoccupé, marécageux ou très boisé, et les routes carrossables sont à peu près inexistantes. La tâche de construire quarante-sept écluses permanentes en pierre au milieu de cette région sauvage est compliquée encore par les problèmes que posent le logement, l'alimentation et la malaria.

À GAUCHE: *Reconstitution du blockhaus octogonal construit à Coteau-du-Lac pendant la Guerre de 1812.* PAGE SUIVANTE: *Écluses sur le canal Rideau, près de Bytown, dessinées par William Henry Bartlett, au début des années 1840.*

Lock, Blockhouse &c at the *Narrows*, Rideau Lake — the first descent from Summit towards Bytown

CI-DESSUS: *Blockhaus sur le lac Rideau, construit en 1832 pour loger l'éclusier ou, au besoin, une garnison de vingt hommes.* À GAUCHE: *Le même bâtiment, aujourd'hui.*

Le lieutenant-colonel John By, le chef ingénieur, n'est pas seulement le constructeur d'un grand canal, mais aussi le fondateur d'un village de pionniers. Ceux qui viennent s'établir dans son quartier général à l'entrée de la rivière Rideau honorent sa mémoire en donnant d'abord son nom à leur localité, Bytown. Le colonel By retourne néanmoins en Angleterre entouré de la désapprobation officielle. Les autorités militaires, qui ont d'abord prévu un canal pour les chalands et les chaloupes, ont décidé finalement de l'élargir de manière à y faire passer les petits vapeurs. Ces nouveaux frais, ajoutés à des dépenses énormes pour les travaux en pleine forêt, augmentent de façon astronomique l'évaluation originale, qui

était d'un optimisme absurde. Les critiques du Conseil du Trésor assombrissent la fin de la carrière de John By. Sa voie d'eau, avec son réseau de lacs, ses canaux paisibles, ses écluses et ses blockhaus en pierre construits de main de maître, n'en demeure pas moins l'une des plus jolies au Canada.

Le premier vapeur traverse le canal Rideau en 1832 et le canal Welland est inauguré un an plus tard. L'ère des transports et des communications fluviales atteint presque son apogée au Canada. La construction ferroviaire ne commencera que vingt ans plus tard; la grande réalisation nationale de cette double décennie est l'achèvement des canaux du Saint-Laurent, qui permet d'obtenir enfin

Maison du gardien du phare de la pointe Clark, en Ontario, de la même époque que le phare lui-même.

une voie d'eau continue de la tête des Grands Lacs aux zones intercotidales. Une baisse des frais de transport ainsi que des taux préférentiels sur les marchés de l'Empire pourraient renforcer la position concurrentielle de la route du Saint-Laurent. Cependant, une fois les canaux terminés, il reste à protéger les marins et les embarcations; c'est la dernière contribution de l'homme pour parfaire le grand don qu'il a reçu de la nature. Il est possible de baliser les canaux du fleuve et quelquefois de les draguer, mais les phares, construits sur des caps, des îles, des pointes de terre ou aux embouchures des rivières et à l'entrée des ports, demeurent les meilleurs moyens de protection.

Il faut de nombreux phares pour éclairer les côtes de l'Amérique britannique du Nord, qui s'étendent interminablement le long des océans, des rivières et des lacs. Tout naturellement, les premiers surgissent dans les provinces atlantiques et dans le Bas-Saint-Laurent, alors que leur apparition est plus tardive dans le Haut-Canada, la dernière province du réseau du fleuve et des Grands Lacs à être colonisée. Les côtes de Terre-Neuve, bien qu'elles soient connues depuis les débuts de la navigation dans l'Atlantique Nord, sont laissées dans l'obscurité jusqu'au XIXe siècle. Tant que l'île est considérée comme un utile refuge saisonnier pour les pêcheurs plutôt que comme une colonie, la protection de ses côtes demeure l'affaire de tous et de personne. Ce n'est qu'en 1832, avec l'élection d'un gouvernement représentatif, que Terre-Neuve peut prendre des mesures concrètes pour assurer la sécurité de sa flotte et de ses citoyens.

Les phares, construits en bois ou en pierre, empruntent des formes et des tailles diverses. Celui du cap Spear, sur la côte est de Terre-Neuve, et celui de la pointe Clark, sur les rives du lac Huron entre Goderich et Kincardine, sont deux exemples typiques des phares construits couramment au cours du demi-siècle qui suit la Guerre de 1812. Le cap Spear, appelé «Cauo de la Spear» (le cap de l'attente) par les marins portugais du XVIe siècle, est la pointe de terre la plus orientale du continent nord-américain. Lorsque la nouvelle législature de Terre-Neuve adopte, en 1834, une loi sur l'établissement des phares, elle choisit à juste titre cet emplacement pour ériger le premier phare de l'île. Il s'agit d'un bâtiment quadrangulaire, plutôt bas, avec un toit en croupe, des murs à clins et une tour centrale en pierre surmontée d'une coupole qui abrite le fanal. Sa position, au sommet d'un cap de 275 pieds de hauteur, et sa proximité du principal port de l'île, Saint-Jean, augmentent son utilité. La construction du phare de la pointe Clark remonte à 1859, près d'un quart de siècle après celui du cap Spear. Elle survient à la fin de la première grande période de navigation sur le Saint-Laurent et les Grands Lacs, au moment où le trafic se déplace de plus en plus des lacs inférieurs aux lacs supérieurs. Le phare de pointe Clark occupe un site beaucoup moins impressionnant que son pendant du cap Spear, et son rôle est un peu plus modeste puisqu'il sert de balise sur un haut-fond rocheux à quelque distance du littoral. C'est un bâtiment massif surmonté d'un balcon à balustrade et d'un dôme et flanqué d'installations annexes pour le gardien et ses approvisionnements. Il illustre de façon éclatante la richesse de la province du Canada au cours de la décennie d'abondance de 1850.

Dans une très large mesure, la prospérité de cette époque est attribuable à la construction des premiers chemins de fer, c'est-à-dire ceux des compagnies Northern, Great Western et Grand Tronc. C'est la fin de l'ère du transport maritime où océan, fleuve et lacs ont monopolisé le déplacement des hommes et des marchandises en Amérique britannique du Nord. Cependant, le rêve d'un grand empire commercial intérieur, reposant sur le Saint-Laurent et les Grands Lacs, demeure une aspiration fondamentale des Canadiens. L'amélioration constante des voies d'eau, couronnée par l'achèvement de la Voie maritime du Saint-Laurent, témoigne de la ténacité avec laquelle ils se sont efforcés d'atteindre l'objectif qu'ils s'étaient fixé depuis si longtemps. Le Saint-Laurent a joué un rôle primordial dans le développement du Canada, mais il ne peut en faire un pays transcontinental. Son pouvoir et son influence économiques, si importants soient-ils, ne s'étendent pas beaucoup au-delà du lac Supérieur. Pour se prolonger jusqu'au Pacifique, l'axe est-ouest, cette ligne essentielle à la vie du pays que le Saint-Laurent amorce dans l'Est, ne peut suivre une voie d'eau comme Jacques Cartier l'a naïvement espéré. Il lui faut emprunter une route terrestre. Ce sont les chemins de fer, le Pacifique canadien et les compagnies qui formeront plus tard le Canadien National, qui, les premiers, ouvrent le Passage du Nord-Ouest par voie terrestre de part en part du continent et prolongent ainsi le Canada d'un océan à l'autre.

LE DÉBUT des communications aériennes au Canada coïncide avec le moment où le transport par eau, longtemps souverain, cède le pas devant la progression des chemins de fer. Les signaux dans l'espace datent évidemment de beaucoup plus longtemps. La colline Signal à Saint-Jean (Terre-Neuve), appelée d'abord le «Lookout», reçoit son nouveau nom à la fin du XVIIIe siècle, à l'époque où les militaires commencent à utiliser la signalisation au sémaphore. Navires et armées peuvent communiquer par signaux, mais le début réel des communications rapides à distance date de l'invention du télégraphe, en 1844. Trois années après que Morse a envoyé son célèbre message de Baltimore à Washington, les premières compagnies télégraphiques obtiennent leur charte; dix ans plus tard, la Montreal Telegraph Company, dirigée par Sir Hugh Allan, établit un réseau de lignes dans toute la province. À cette époque, le télégraphe assure la liaison entre la plupart des régions habitées de l'Amérique du Nord, et on a déjà tenté sans succès de

215

Le phare du cap Spear, à Terre-Neuve, n'est qu'un bâtiment quadrangulaire auquel on a ajouté des ailes.

Le phare de la pointe Clark est un bâtiment solide, construit pour durer plus longtemps que les bateaux qu'il protégeait.

relier le Nouveau Monde à l'Europe par câble sous-marin. C'est alors qu'entre en scène le *Great Eastern*, un magnifique vapeur spécialement équipé pour transporter et immerger les câbles. Il est la dernière création de l'ingénieur de génie du début de l'époque victorienne, Isambard Kingdom Brunel. Le *Great Eastern* quitte Valencia en Irlande le 13 juillet 1866 et, une quinzaine plus tard, le 27 juillet, dépose à Heart's Content (Terre-Neuve) l'extrémité du câble intact.

Les messages télégraphiques, transmis par fil aérien ou câble sous-marin, sont d'abord d'une utilité limitée à cause d'un très grave défaut. En effet, on ne peut envoyer qu'un seul message Morse à la fois. Il est évident qu'un télégraphe à transmission multiple, qui acheminerait au moins deux messages en même temps, augmenterait énormément la valeur du nouveau moyen de communication. L'espoir de découvrir un tel appareil stimule nombre d'esprits inventifs au milieu de l'époque victorienne. Parmi eux, se trouve un jeune Écossais, grand et mince, au nez proéminent et au large front, dont le visage pâle est encadré de favoris et d'épais cheveux noirs. C'est Alexander Graham Bell. Chose curieuse, ses études n'ont pas porté sur l'électrotechnique comme on pourrait s'y attendre, mais sur les techniques de la parole et du son. Son grand-père, Alexander Bell, et son père, Alexander Melville Bell, se sont spécialisés dans la physiologie vocale et le traitement orthophonique et jouissent d'une solide réputation comme conférenciers et praticiens. En 1868, à l'âge de vingt et un ans, le jeune Alexander Graham devient l'associé de son père et enseigne aux enfants sourds-muets le langage par signes que Melville Bell a inventé. Une carrière prometteuse semble lui être assurée en Grande-Bretagne, mais la tuberculose emporte ses deux frères et menace sa propre vie; en 1870, à la recherche d'un climat plus sain, lui et son père viennent s'installer à Tutela Heights, près

Le Great Eastern *immerge le câble transatlantique, à Heart's Content, à Terre-Neuve, en 1866.*

À GAUCHE ET CI-DESSUS: *Marconi et ses aides, à la tour Cabot, en décembre 1901.*

CI-DESSOUS: *Lancement du cerf-volant doté d'une antenne pour la première communication transatlantique.*

de Brantford en Ontario. Un an plus tard, rétabli et robuste, Bell commence à donner des conférences et à enseigner à Boston; au début des années 1870, il partage son temps et ses expériences entre Brantford, où il passe ses vacances d'été, et Boston, où il poursuit sa carrière de praticien.

À Boston, Bell devient bientôt amoureux de l'une de ses clientes, Mabel Hubbard, la fille d'un avocat prospère, qui est sourde depuis sa tendre enfance. Bell est pressé de se faire un nom afin de se voir agréer par son futur beau-père; cependant, Gardiner Greene Hubbard est un homme pratique qui manifeste peu d'indulgence pour les projets visionnaires des inventeurs sans le sou; il demande au prétendant de sa fille de concentrer ses recherches sur ce qui lui semble être un objectif extrêmement rémunérateur, la découverte d'un appareil pour la transmission de messages télégraphiques multiples. Dès 1875, les recherches de Bell sur la télégraphie harmonique ou la transmission multi-

DE GAUCHE À DROITE: *Glenn Curtiss, Alexander Graham Bell, J.A.D. McCurdy et F.W. Baldwin.*

ple portent fruit. C'est en expérimentant cette invention que Bell et son assistant, Thomas Watson, découvrent presque par accident le principe de la téléphonie, c'est-à-dire de la transmission électrique du son, notamment de la voix humaine, au moyen de fils entre des stations éloignées. Le premier dispositif, conçu à Brantford à l'été de 1874 puis mis au point et testé plus tard à Boston, subit triomphalement sa première démonstration à l'été de 1876. Le 10 août, le premier message télé-

phonique franchit les huit milles entre Paris et Brantford sur des fils prêtés par la Dominion Telegraph Company. Il s'agit d'une transmission unidirectionnelle mais, plus tard au cours de l'année, Bell et Watson réussissent une communication bidirectionnelle entre Boston et Cambridge (Massachusetts).

Bell est un homme dont le génie a de multiples facettes. Les redevances que lui procure l'utilisation croissante du téléphone et le prix Volta que

lui accorde le gouvernement français lui permettent de fonder les *Volta Laboratories* à Washington et de poursuivre ses expériences dans le domaine de la transmission et de l'enregistrement des sons. Avec l'aide de ses collègues de Volta, il découvre les excellentes propriétés d'enregistrement du cylindre de cire et il fait aussi l'essai du disque plat, l'ancêtre du disque de phonographe moderne. C'est Guglielmo Marconi, et non Alexander Bell, qui invente la télégraphie sans fil et reçoit, le 12 décembre 1901, le premier message transatlantique sur la colline Signal. En revanche, l'appareil mis au point par Bell, le photophone, qui transmet la parole au moyen d'ondes lumineuses, renferme les principes qui trouveront plus tard une application pratique et courante dans les bandes sonores cinématographiques et l'oeil électrique. Au début des années 1880, inventions et expériences occupent toute la vie de Bell. Il est maintenant citoyen américain, mais il déteste souverainement la chaleur estivale de Washington où il a sa résidence et son laboratoire. À la recherche d'un endroit frais pour l'été, il parcourt en bateau, en 1885, le lac Bras d'Or au centre du Cap-Breton. Cette belle région accidentée, agrémentée de longues baies sinueuses et paisibles et bordée de lointaines collines bleues, lui rappelle les hautes terres de son Écosse natale. L'été suivant, il s'installe avec sa famille dans une maison du petit village de Baddeck. Quelques années plus tard, il achète une propriété sur une haute péninsule avoisinante et lui donne le nom celtique de Beinn Bhreagh (belle montagne). Il construit une maison spacieuse sur le sommet et, à compter de 1893, il y passe près de six mois chaque année avec sa famille, jusqu'à sa mort en 1922.

Avec son arrivée à Baddeck, une nouvelle phase très différente s'ouvre dans la vie de Bell. Jusqu'ici, l'inventeur a travaillé surtout à l'intérieur de son laboratoire sur des appareils mécaniques relativement petits. Beinn Bhreagh lui offre de l'espace et lui inspire de plus grands projets. Le ciel immense et dégagé du Cap-Breton et les grandes surfaces libres du lac Bras d'Or sont propices aux expériences aériennes et maritimes d'envergure. Au cours de ses dix premières années en Amérique du Nord, Bell a acquis la certitude qu'un appareil plus lourd que l'air peut être soutenu au-dessus du sol par les révolutions d'une roue à vent ou d'une hélice, mais au début des années 1890, lorsque, pour la première fois, il commence à étudier les problèmes de la navigation aérienne, les moteurs à combustion interne ne sont pas encore assez puissants pour soutenir un solide appareil et son pilote. Bell conçoit d'énormes cerfs-volants rectangulaires à la fois puissants et légers, formés de tétraèdres comme les alvéoles d'une ruche. C'est pendant la période d'essai de ces cerfs-volants qu'un organisme de grande importance pour l'avenir de l'aviation, l'Aerial Experiment Association, voit le jour à Baddeck.

Cette société naît par accident. John A. McCurdy, le fils du secrétaire de Bell, Arthur McCurdy, termine ses études en génie à l'université de Toronto. Au printemps de 1906, année de l'obtention de son diplôme, le jeune McCurdy amène à Baddeck son ami, F.W. «Casey» Baldwin, petit-fils de Robert Baldwin, l'artisan du gouvernement responsable du Canada. L'épouse de Bell suggère aux deux jeunes gens d'unir leur énergie et leur ardeur au talent d'invention de son mari et de former une équipe de recherche. Bell persuade ensuite Glenn H. Curtiss, le fabricant de motocyclettes, d'ajouter ses connaissances des moteurs aux ressources du groupe. En outre, le lieutenant américain Thomas E. Selfridge obtient, à sa demande, la permission de faire partie de l'équipe à titre d'observateur officiel.

La première entreprise de l'Aerial Experiment Association est l'essai, en décembre 1907, du plus grand cerf-volant de Bell, le *Cygnet*. La destruction accidentelle du *Cygnet* pendant sa descente provoque une grande déception chez l'inventeur et ses jeunes collaborateurs enthousiastes. Par ail-

Le musée Alexander Graham Bell, à Baddeck, en Nouvelle-Écosse, rappelle la carrière d'un inventeur au génie universel et d'un précurseur dans les domaines des communications et de l'aéronautique.

leurs, il est maintenant évident que les petites alvéoles tétraédriques offrent une trop grande résistance au vent. Le groupe décide donc de s'intéresser dorénavant aux biplans plutôt qu'aux cerfs-volants et déplace son centre d'activité de Baddeck à Hammondsport (New York), près des ateliers de motocyclettes de Curtiss. L'année suivante, les trois jeunes gens construisent quatre biplans qu'ils réussissent à faire voler; le quatrième, le *Silver Dart*, est amené au Canada et, le 23 février 1909, McCurdy le pilote sur une distance d'un demi-mille au-dessus des glaces de la baie de Baddeck, réalisant ainsi le premier vol d'un sujet britannique dans l'Empire.

Les membres de l'Aerial Experiment Association sont maintenant convaincus qu'ils peuvent sans risque passer des essais à la production commerciale. Dix-huit mois après sa création, ils décident de dissoudre leur groupe expérimental et fondent la première société canadienne de fabrication d'aéronefs, qu'ils appellent Canadian Aerodrome Company, puisque Bell préfère depuis toujours le mot «aérodrome» à «aéroplane». Les chances de succès de la nouvelle société dépendent évidemment de l'appui qu'elle compte obtenir du gouvernement du Canada, mais au cours d'un essai devant l'Armée canadienne à Petawawa à l'été de 1909, l'appareil s'écrase honteusement sur une piste d'atterrissage raboteuse et peu familière. La Canadian Aerodrome Company est dissoute. McCurdy et Curtiss entreprennent une tournée de vols acrobatiques. Baldwin, pour sa part, reste à Baddeck et joue un rôle important dans la création de l'aéroglisseur, la dernière grande entreprise de Bell. En 1917, lorsqu'ils construisent leur quatrième «hydrodrome», selon l'appellation de Bell, l'inventeur a soixante-dix ans. C'est un homme grand et solidement charpenté, toujours actif, aux cheveux blancs et touffus et à la barbe patriarcale. Cinq ans plus tard, la mort met fin à sa carrière. Non seulement Bell a-t-il vu naître l'ère des communications rapides et du transport aérien, mais il a aussi énormément contribué à ses progrès.

J.A.D. McCurdy, futur lieutenant-gouverneur de la Nouvelle-Écosse, pilote le Silver Dart *au-dessus des glaces de la baie de Baddeck, en 1909.*

9 La conquête du Nord

Le S.S. Keno, *aujourd'hui restauré, desservait autrefois les villes riveraines du fleuve Yukon.*

LA DÉCISION de George Stephen, Donald Smith et leurs associés d'amener la ligne du Pacifique canadien jusqu'aux montagnes en passant par le Sud modifie profondément l'avenir de la région appelée alors le Nord-Ouest. La colonisation et le développement vont favoriser le Sud, qui a été négligé jusqu'à maintenant, au détriment du Nord, théâtre des premiers grands courants d'expansion vers l'ouest.

Les principales routes de transport de la Compagnie de la baie d'Hudson et de la Compagnie du Nord-Ouest ont toujours été les voies d'eau septentrionales, notamment le fleuve Nelson, les rivières Hayes, Saskatchewan-Nord, Clearwater, Athabaska et de la Paix. Sandford Fleming, arpenteur en chef du gouvernement, a recommandé que le chemin de fer du Pacifique suive un itinéraire nord-ouest et traverse le col Yellowhead. Pour sa grande expédition de 1874, la Gendarmerie à cheval du Nord-Ouest a suivi une route proche de la frontière internationale, mais elle ne tarde pas à construire ses postes le long de la Saskatchewan-Nord. Sept années plus tard, voilà que la nouvelle décision de la direction du Pacifique canadien change complètement la situation. Ce sont les prairies du Sud, et non les forêts du Nord, qui deviennent le principal centre d'intérêt. La culture du blé et l'élevage l'emportent sur le commerce de la fourrure. Regina, Medicine Hat et Calgary usurpent la place de Prince Albert, Battleford et Edmonton. Dans l'esprit des Canadiens, l'immense territoire appelé antérieurement le Nord-Ouest se sépare graduellement en deux régions distinctes, l'Ouest et le Nord. C'est le peuplement des prairies de l'Ouest et leur intégration aux régions industrielles de l'Est au moyen du Pacifique canadien qui deviennent le premier objectif de la politique nationale du Canada. Personne ne conteste cette priorité et le Nord doit attendre son heure.

Au premier abord, il semble que l'attente sera très longue. Il y a bien la loi de 1875 qui établit un gouvernement local et traite tous les territoires du Nord-Ouest comme une entité sans aucune frontière, mais presque immédiatement, le gouvernement fédéral commence à morceler cette unité territoriale et à établir une distinction très nette entre le Sud et le Nord. En 1876, il crée un district séparé appelé Keewatin qui forme une longue bande à partir de la province du Manitoba jusqu'au cercle arctique. Six années plus tard, il établit quatre autres districts dans les prairies du Centre-Sud. Trois d'entre eux, Assiniboine, Saskatchewan et Alberta, sont réunis sous la même administration territoriale et la capitale est déplacée de Battleford à Regina. Le quatrième district, Athabasca, le plus septentrional, de même que le Keewatin et quatre autres districts plus au nord constitués en 1895, Ungava, Franklin, Mackenzie et Yukon, demeurent des territoires administrés directement par le gouvernement fédéral. De toute évidence, les autorités d'Ottawa estiment que le Sud-Ouest atteindra rapidement sa maturité sociale et politique et que le Nord-Ouest saura s'accommoder d'une administration rudimentaire pendant fort longtemps. Sans doute les fonctionnaires de la Commission géologique du Canada et ceux de la Division des levés topographiques de la Direction des terres accomplissent-ils un travail précieux en explorant et en cartographiant les régions septentrionales et en notant leurs caractéristiques et leurs ressources, mais dans l'ensemble, le gouvernement fédéral se contente de préparer la voie à un aménagement futur, sans tenter aucunement de l'amorcer ou de le promouvoir. Le Parlement s'applique à protéger la faune du Grand Nord et à réglementer la vente des spiritueux aux Indiens. Vers 1890, la Gendarmerie à cheval du Nord-Ouest établit des postes à des endroits fort éloignés, comme l'Île-à-la-Crosse, le lac La Biche et Athabasca Landing. Cependant, l'enseignement et les mesures sociales sont laissés à l'initiative des missionnaires, en particulier des anglicans et des catholiques, et c'est la Compagnie de la baie d'Hudson qui construit les pistes et les routes de portage et introduit les bateaux à vapeur qui, peu à peu, facilitent les déplacements dans ces régions.

Dans le bassin du Mackenzie ainsi qu'à l'est et à l'ouest de la baie d'Hudson, le progrès est lent et sans coup de théâtre. Sur la côte du Pacifique, l'expansion se déchaîne brusquement de façon spectaculaire. Le Nord vit, pour la première et peut-être pour la dernière fois, des moments inoubliables. Voilà des décennies que la Californie a suscité la première grande ruée vers l'or de l'histoire de l'Amérique du Nord; depuis, les prospecteurs n'ont cessé de se déplacer lentement vers le nord, cherchant de l'or dans chaque cours d'eau des montagnes et du littoral du Pacifique. Ils prospectent le fleuve Fraser et les chaînons Cariboo, puis remontent jusqu'à la source de la rivière Liard, explorant la rivière Stikine, la chaîne des Cassiar et les chaînons Ominéca. À mesure que ces gisements aurifères s'épuisent, notamment celui de Juneau sur la bande étroite au sud de l'Alaska, les mineurs, pour la plupart des Américains, repartent vers le nord, franchissent la frontière internationale encore mal définie et pénètrent dans le bassin du Yukon. Parvenus dans ces régions, où le gouvernement canadien n'exerce aucune autorité, ils se comportent comme s'ils étaient dans un no man's land et commencent à régler leurs différends par le recours à la justice sommaire des assemblées de mineurs.

Craignant vaguement que de telles pratiques n'aboutissent à l'établissement d'un État souverain de squatters, le gouvernement canadien décide finalement d'intervenir. Au cours de l'été de 1895, l'inspecteur Charles Constantine est dépêché dans la région avec vingt hommes de la Gendarmerie à cheval du Nord-Ouest; il construit un poste imposant et entreprend de faire régner l'ordre. Il était temps, car moins d'un an plus tard, ce n'est plus une poignée de mineurs et de commerçants disséminés, mais une immense armée d'occupation qui envahit la région. La prospection de l'or au Yukon ne donnera donc pas lieu à une ruée effrénée d'individus insubordonnés et violents. Tout comme l'arrivée des mineurs en Colombie britannique et le peuplement des plaines de l'Ouest, elle sera réglementée par les autorités canadiennes.

Une dernière halte avant l'ascension du col Chilkoot, sous un fardeau de plus de cent livres.

Les derniers arrivés doivent creuser dans les collines, mais souvent, ils trouvent de l'or dans des anciens cours d'eau.

E
N AOÛT 1896, George Washington Carmack, prospecteur américain au Yukon depuis quelques années, et ses deux associés indiens, Skookum Jim et Tagish Charley, lavent du sable à la batée, dans l'espoir de trouver de l'or, le long des petits ruisseaux qui se jettent dans la Klondike, affluent du Yukon. À l'embouchure d'un ruisseau, nommé ultérieurement Eldorado et tributaire d'un autre ruisseau qui deviendra également célèbre sous le nom de Bonanza, Skookum Jim découvre dans une batée de gravier, à la stupéfaction et au grand bonheur des trois hommes, une teneur en or de 4 000% supérieure à la teneur jugée habituellement prometteuse dans cette région. Le lendemain, le 17 août, célébré annuellement au

Yukon comme le «jour de la découverte», Carmack jalonne des concessions pour lui-même et ses deux associés, puis tous trois s'empressent de descendre le Yukon pour faire enregistrer leur découverte au quartier général de la police, à plus de soixante milles de là. Pendant leur long voyage, les trois heureux compagnons annoncent triomphalement leur découverte à chaque prospecteur qu'ils rencontrent. Cette nouvelle galvanisante ne tarde pas à amener quantité de mineurs le long de la Klondike et de ses petits affluents. En moins de deux semaines, plus de deux cents concessions sont jalonnées; Dawson, qui porte le nom du directeur de la Commission géologique et qui jusque-là n'était qu'un plateau marécageux avec quelques arbres rabougris, compte à la fin de l'année une population de quatre à cinq cents personnes. Cette

FORCE OF MINERS WORKING ON W...

Groupe de mineurs exploitant une concession dans le ruisseau Bonanza.

première ruée vers l'or du Klondike attire les mineurs qui résident déjà au Yukon et connaissent bien leur métier; par contre, celle qui électrise et surprend le monde entier ne survient qu'au cours de l'été de 1897, au moment où les premiers bateaux venus du Nord apportent à Seattle et San Francisco la nouvelle de l'extraordinaire découverte. La saison est alors si avancée qu'un petit nombre de personnes seulement réussissent à atteindre Dawson avant que l'hiver ne ferme les pistes. C'est finalement la dernière ruée, celle qui entraîne un afflux de prospecteurs, d'aventuriers et de spéculateurs le long de la piste de «98», qui est à l'origine des légendes du Klondike.

Les aventuriers de 1897 et 1898 découvrent bientôt plusieurs routes menant aux gisements aurifères du Klondike. Certaines sont sinueuses, len-

tes et relativement faciles, d'autres sont courtes et extrêmement difficiles. On peut arriver par le nord en suivant le Yukon, ou par l'est, en empruntant le Mackenzie et la rivière Liard, ou enfin, par Juneau et Wrangell, les ports sur la bande côtière de l'Alaska, puis remonter les rivières Taku et Stikine jusqu'au lac et à la rivière Teslin. Dans l'ensemble, les voyageurs qui empruntent des chemins détournés sont peu nombreux. La grande majorité des mineurs prennent la route la plus directe et aussi la plus redoutable. Elle commence aux petits ports de Dyea et de Skagway à la tête du canal Lynn. De là, deux cols, Chilkoot et White, permettent de franchir les montagnes jusqu'à la source du Yukon. Le col Chilkoot s'élève à pic mille pieds plus haut que le col White, mais pour les hommes qui suivent ces deux chemins en

On engageait souvent des porteurs, à un dollar la livre, pour transporter par le col Chilkoot la

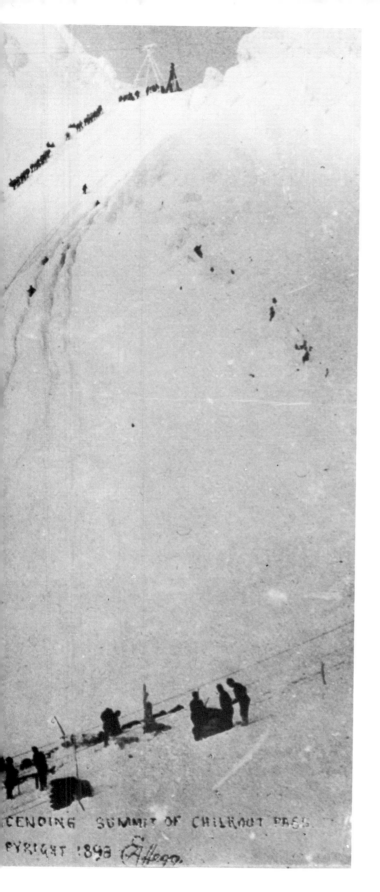

une longue procession, les deux ascensions sont également pénibles et épuisantes. Au lac Bennett, où convergent les deux pistes et où commence la navigation sur les lacs et rivières, les prospecteurs font une halte bien méritée. Ils se reposent, offrent des prières d'action de grâce dans la petite chapelle érigée par certains d'entre eux et construisent des chalands ou des radeaux pour transporter leur équipement et leur approvisionnement en aval. À partir de là, le voyage est beaucoup moins exténuant, mais la voie d'eau de 600 milles semble interminable et, par endroits, fort dangereuse. De nombreux rapides interrompent le cours de la rivière, et le canyon Miles, où l'eau se précipite en mugissant sur les fonds rocheux, entraîne de nombreux naufrages.

Les mineurs ne sont pas seuls à entreprendre le pénible voyage jusqu'à Dawson. Il y a aussi des boutiquiers, hôteliers, cabaretiers, forgerons, banquiers, ministres du culte, médecins, journalistes, acteurs, artistes et prostituées. La petite société de la ville est fort hétérogène, mais ce sont les mineurs qui constituent le groupe important. Les mines qui ont donné naissance à Dawson consti-

tonne de matériel nécessaire à l'expédition.

Deux vestiges du fabuleux passé de Dawson: (à gauche) *le somptueux* Palace Grand Theatre *et* (à droite) *la cabane du poète Robert Service.*

tuent également sa seule source de développement et de prospérité. Depuis le jour où Skookum Jim a remué la première batée de cailloux du ruisseau Eldorado, l'exploitation placérienne des ruisseaux du Klondike a vite suscité l'invention de nombreuses méthodes spécialisées; cependant, le principe de base est le même et l'eau sert toujours à séparer les lourdes particules d'or des détritus plus légers de roche, de cailloux et de sable. À l'instar de Skookum Jim, les hommes utilisent d'abord le pic et la pelle, puis des batées ou des berceaux, boîtes peu profondes fixées sur des barres courbes que l'on remue à la main. Une fois les gisements facilement accessibles épuisés, ces méthodes primitives ne conviennent plus; les mineurs creusent de profonds tunnels dans le sol et font dégeler le pergélisol de gravier et de sable au moyen de feux ou de machines à vapeur. Ils jettent ensuite à la pelle leur précieux gravier dans des canaux inclinés et l'eau emporte les cailloux et le sable, tandis que les lourdes particules aurifères sont retenues par une série de barres transversales au fond des canaux. Aux ruisseaux Bonanza, Eldorado, Bear, Hunker et à beaucoup d'autres endroits, les mineurs amassent soigneusement le gravier au cours de l'hiver et attendent le printemps pour le laver.

Dès l'été de 1897, après le déferlement de la première grande vague de prospecteurs venus de l'extérieur du Yukon, Dawson est une ville d'environ 5 000 habitants. Une année plus tard, après un deuxième afflux beaucoup plus important, la population a sextuplé. Au début, la ville n'est qu'un vaste assemblage de tentes de toutes formes et de toutes dimensions, éparpillées au hasard sur la plaine marécageuse et les collines environnantes. Bientôt, cependant, des rues et avenues aux noms

L'été de 1899, la rue Front à Dawson a une atmosphère de carnaval.

assez prétentieux sont tracées et l'agglomération commence à prendre un aspect urbain. Des cabanes de rondins et des maisons, certaines assez importantes avec leurs deux ou trois étages, remplacent bientôt les tentes. À l'aube du vingtième siècle, l'accroissement démographique et la prospérité de Dawson s'accompagnent de beaucoup plus de confort. Les bâtiments à pans de bois commencent à se multiplier, les routes sont nivelées et bitumées, des trottoirs de bois et un réseau d'assainissement apparaissent. Mais les premiers prospecteurs n'ont pas fini de s'émerveiller, car on entreprend la construction d'une ligne ferroviaire à voie étroite, le *White Pass and Yukon Railway*. Partie de Skagway, elle atteint le lac Bennett en 1899 et Whitehorse une année plus tard. Il est désormais possible de voyager facilement et confortablement en train ou à bord des vapeurs *S.S. Klondike* et *S.S. Keno*, alors que trois ans plus tôt, ce même parcours était l'un des plus dangereux et des plus épuisants au monde.

Le centre commercial de Dawson forme un rectangle borné à l'est et à l'ouest par deux avenues plus ou moins parallèles au Yukon, et par les rues King et Princess au nord et au sud. Dans cette zone, l'architecture des boutiques, des hôtels et des maisons offre des contrastes saisissants et passe de la plus grande simplicité à une ornementation surchargée. L'hôtel Bonanza, bâtiment de trois étages construit en rondins, en 1898, à l'angle de la deuxième avenue et de la rue King, est le plus vieil édifice connu et, par conséquent, de conception très simple. Parmi les premiers bâtiments en rondins, figure également le futur siège du journal le plus populaire de la ville, le *Dawson Daily News*. Situé sur la troisième avenue entre les rues King et Queen, c'est un édifice à un étage, très fonctionnel et probablement construit en 1900.

Départ d'un attelage de chiens de Dawson pour Valdez, en Alaska, au début de 1901.

Au début des années de prospérité, le centre-ville foisonne de petits hôtels, de bars, de cabarets et de salles de spectacle. Dans un passage étroit entre la première et la deuxième avenues, s'alignent une série de petites maisons closes. Les prostituées seront vite exilées sur l'autre rive du Yukon et leurs cabanes sont disparues depuis longtemps, mais on peut encore voir, près de la rue Princess, le *Ruby's Place*, qui, de toute évidence, était un établissement de meilleure qualité. Les petites salles de spectacle, souvent abritées dans des tentes ou des cabanes en rondins à un étage, ont aussi disparu. La plus somptueuse, le *Palace Grand Theatre*, est inaugurée en grande pompe en 1899 par «Arizona Charlie» Meadows, originaire de l'Ouest et organisateur de spectacles de variétés. Soigneusement restaurée et remeublée sur son emplacement original, à côté de l'hôtel Bonanza, elle est un des premiers exemples d'une architecture pré-

tentieuse et opulente, avec une fausse façade imposante, des fenêtres en saillie et une ornementation surchargée qui témoignent avec éclat de la prospérité croissante de la ville. Rares sont les particuliers qui peuvent rivaliser avec les dépenses folles d'Arizona Charlie, mais le gouvernement fédéral et l'administration territoriale délèguent maintenant un personnel important dans la nouvelle capitale et sont résolus à bien faire sentir leur présence. Le bureau de poste, caractérisé par sa tour centrale hexagonale, s'élève à l'angle de la troisième avenue et de la rue King. La maison du commissaire, avec ses larges vérandas et son intérieur plutôt fastueux, fait face au fleuve à l'extrémité sud de la ville, au milieu d'un groupe de bâtiments officiels.

Rapide a été l'essor de Dawson, lent est son déclin. L'or, la seule ressource véritable de la région, s'épuise évidemment très vite et, dès l'été

1899, la découverte d'un autre gros gisement à Nome (Alaska) attire bon nombre des premiers prospecteurs. Au début, des fortunes colossales ont été amassées par des prospecteurs solitaires; maintenant, ce sont des groupes dotés d'un équipement complexe qui poursuivent l'exploitation des gisements pendant des années et, à la fin, d'énormes dragues munies de convoyeurs à godets se fraient un chemin dans les ruisseaux, déblayant des monceaux de pierre et de gravier. En 1896, Robert Service entre à la Banque Canadienne de Commerce à Whitehorse et, trois années plus tard, il est muté à Dawson où il vit dans une petite cabane en rondins sur la huitième avenue. Les anciens prospecteurs de renom ont quitté les lieux depuis longtemps, mais le souvenir de leurs fabuleux exploits est encore vivace. Service écoute avidement ces récits et s'en inspire pour ses deux premiers livres de poésie, *Songs of a Sourdough* et *Ballads of a Cheechako*, et pour son roman, *The Trail of '98*.

LA RUÉE VERS L'OR au Yukon semble, du moins de l'extérieur, n'avoir profité qu'à une petite région frontalière de l'extrême-ouest du Nord canadien, mais en fait, elle a des répercussions importantes et durables sur le plan national. Pendant un certain temps, le territoire du Yukon progresse à pas de géant et semble surpasser de loin toutes les autres régions concurrentes. Déclaré territoire non organisé en 1895, en même temps que l'Ungava, le Mackenzie et Franklin, il accède trois ans plus tard au statut de territoire distinct, doté de pouvoirs exécutif, législatif et judiciaire. Il s'agit là du premier et sans doute du plus spectaculaire résultat politique de la ruée vers l'or du Klondike. Dans l'ensemble du Canada, cependant, ce n'est pas tant l'administration du Yukon que ses voies d'accès qui suscitent l'intérêt le plus vif et le sentiment nationaliste le plus intense. La frontière entre le Canada et la bande côtière méridionale de l'Alaska, mal définie dans le traité anglo-russe de 1825, fait encore l'objet de controverses entre la Grande-Bretagne et le Canada, d'une part, et les États-Unis, de l'autre.

La découverte de gisements aurifères au Yukon envenime le différend au point qu'il devient urgent de le résoudre. L'afflux de gens dans le nouveau territoire fait ressortir l'absence d'un port canadien sur le canal Lynn. Si, comme le prétend le Canada, la frontière doit être tracée à dix lieues ou trente-trois milles de la ligne côtière, le Canada aura son port, mais si, selon les exigences du gouvernement américain, elle doit se situer à trente-trois milles de l'entrée des bras de mer et du canal Lynn, le Canada sera privé de toute voie d'accès directe à l'océan.

À l'automne de 1903, le différend est soumis à l'arbitrage de «six juristes impartiaux qui accèdent pratiquement à toutes les demandes des États-Unis. Cette décision provoque de violentes protestations nationalistes. Les Canadiens sont convaincus que la question n'a pas été jugée sur le fond, mais que les juristes ont cédé aux pressions brutales de l'impérialisme américain, et ce profond ressentiment est peut-être la conséquence politique la plus importante de la ruée vers l'or. À Dawson, l'appauvrissement des gisements d'or et la baisse de population entraînent également un déclin sur le plan politique et administratif. L'administration territoriale est simplifiée, de nombreux fonctionnaires sont congédiés et la Gendarmerie à cheval du Nord-Ouest, dont les effectifs ont atteint plus de 300 hommes, réduit progressivement son personnel. Le Yukon se retrouve presque dans sa situation antérieure de territoire non organisé. Cependant, le différend au sujet de la frontière de l'Alaska, qui était si étroitement lié à la ruée vers l'or, a suscité au sein de la nation un nouvel intérêt et un sentiment de propriété envers les territoires du Nord, en même temps qu'il a détérioré les relations canado-américaines.

Ce renouveau nationaliste inspire aux administrations fédérale et provinciales d'ambitieux programmes d'aménagement du Nord au cours de la première décennie du XXe siècle. En 1903, lorsqu'il présente son plan pour la construction d'un chemin de fer transcontinental, Laurier fait valoir que le Canada doit prendre les mesures nécessaires pour assurer plus de moyens de transport pour le commerce du Nord-Ouest, s'il ne veut pas qu'un concurrent toujours vigilant s'en empare. Le *National Transcontinental*, qui décrit un arc de cercle vers le nord-ouest de Québec à Winnipeg, ouvre l'arrière-pays du Québec et de l'Ontario. Le *Grand*

Trunk Pacific, le prolongement occidental du *National Transcontinental*, et le *Canadian Northern* empruntent le col Yellowhead comme Sandford Fleming l'avait recommandé trente années auparavant; tandis que le *Canadian Northern* bifurque vers le sud dans la vallée du Fraser jusqu'à Vancouver, le *Grand Trunk Pacific* poursuit son itinéraire au nord de la Colombie britannique jusqu'à Prince Rupert.

En 1902, l'Ontario entreprend la construction d'un chemin de fer de North Bay au lac Témiscamingue. Bientôt, l'intérêt manifesté par cette province à l'égard du transport et de l'expansion vers le nord se répand dans tout le pays. En 1905, on assiste à la création de deux nouvelles provinces, la Saskatchewan et l'Alberta; en 1912, tout le district de l'Ungava est cédé au Québec, tandis que le district du Keewatin, au sud du 60e parrallèle, est divisé entre l'Ontario et le Manitoba. Toutes les provinces du Centre et de l'Ouest possèdent maintenant un territoire nordique qu'elles cherchent à développer grâce au chemin de fer. Le Manitoba entreprend la construction d'un chemin de fer jusqu'à son nouveau littoral de la baie d'Hudson mais le projet se révèle complexe et fort coûteux. La Colombie britannique commence la construction du *Pacific Great Eastern Railway*. Cette nouvelle orientation de la politique canadienne se manifeste dans tout le pays, du Labrador jusqu'au Pacifique, mais c'est en Alberta qu'elle est la plus spectaculaire. Edmonton, relégué au second plan un quart de siècle plus tôt lorsque le Pacifique canadien a opté pour l'itinéraire sud, devient maintenant la capitale provinciale et la métropole de la grande région agricole du Nord. Très vite, la nouvelle législature provinciale songe à prolonger le chemin de fer jusqu'à la rivière de la Paix, le lac La Biche et le fort McMurray.

Alors que le peuplement des Prairies a été une entreprise nationale dirigée par le gouvernement fédéral, l'exploitation du Centre-Nord est essentiellement une préoccupation provinciale, et les objectifs, de même que les résultats, diffèrent selon le caractère des zones septentrionales. Le Québec, l'Ontario et le Manitoba ne peuvent s'avancer très loin au nord sans se heurter au bouclier précambrien; par contre, l'Alberta, qui est rattachée à la grande plaine centrale du continent, peut remonter presque à l'infini vers le nord, et le succès de l'agriculture semble certain dans les quelque

cinquante millions d'acres de la région de la rivière de la Paix. En dépit des efforts de l'Ontario pour coloniser ses zones argileuses récemment découvertes et de ceux du Québec pour freiner la migration vers la Nouvelle-Angleterre au profit de ses régions septentrionales, ces deux provinces ne réussissent le plus souvent qu'à établir des colonies marginales et des exploitations agricoles de misère. L'agriculture dans la région du bouclier précambrien n'a toujours donné que de piètres résultats. Cependant, à l'aube du nouveau siècle, les Canadiens commencent à prendre conscience que l'immense territoire septentrional qu'ils ont toujours considéré, depuis l'époque de la traite des fourrures, comme une terre stérile, renferme de précieuses richesses insoupçonnées. Au Québec, l'industrie prospère de la pâte de bois succède à l'ancien commerce du bois. En Ontario, à Michipicoten et Cobalt ainsi que dans la région de Porcupine et de Kirkland Lake, des prospecteurs découvrent que le sous-sol du bouclier précambrien recèle de plus grandes richesses que la brousse et les forêts en surface.

Les provinces du Centre et de l'Ouest n'ont pas poussé leurs nouvelles frontières plus loin que le Centre-Nord. Au-delà s'étendent le Grand Nord et l'Arctique, rudes contrées lointaines extrêmement difficiles d'accès, où seuls s'aventurent jusqu'à présent des trappeurs, des agents de la Compagnie de la baie d'Hudson, des missionnaires, des enseignants, des agents auprès des Indiens et des chercheurs de la Commission géologique. Pendant des décennies, le Canada se désintéresse de ses droits territoriaux dans ces régions. Dans les années 1870, la Grande-Bretagne presse vivement le Canada d'accepter la passation des droits de premier occupant dans l'immense région bornée par le Groenland à l'est et par le 141e méridien à l'ouest, mais le Canada ne manifeste aucun intérêt. En 1880, le cabinet britannique, impatient de régler cette affaire, procède à la remise de ces droits, mais au lieu d'une loi qui aurait obligé les autres pays à reconnaître officiellement l'autorité du Canada, elle se contente d'adopter un vague décret qui ne spécifie même pas les limites des territoires octroyés. Ce n'est que quinze années plus tard, au moment où une loi britannique vient confirmer cette passation de pouvoir, que le gouvernement canadien se décide enfin à créer les districts provisoires non organisés de l'Ungava, du

L'équipe de Stefansson abandonne le Karluk, *en septembre 1913. Stefansson ne reverra jamais son vaisseau amiral.*

Mackenzie, du Yukon et de Franklin. Deux années plus tard, William Wakeham, l'ancien commandant de la patrouille des pêches dans le golfe Saint-Laurent, appareille pour la baie Cumberland dans l'île de Baffin, y hisse le drapeau britannique et proclame la souveraineté du Canada sur les îles arctiques. C'est le 17 août 1897, exactement un an après que Carmack a jalonné sa célèbre concession sur un petit ruisseau du Klondike.

Au cours des douze années suivantes, le Canada manifeste envers ses possessions septentrionales un intérêt et une attention dont il n'a jamais fait preuve pendant les vingt-sept années précédentes. Cette nouvelle attitude ne découle pas seulement de l'éveil d'un sentiment nationaliste du droit territorial, mais aussi de la réalisation d'une ingérence étrangère dans cette vaste région qu'il n'a pas encore revendiquée. Des explorateurs américains et norvégiens, Peary, Cook, Sverdrup et Amundsen, les chefs de file d'une vague d'exploration sans précédent dans l'Arctique, ont pénétré dans cette région et l'ont occupée à leur gré, comme si elle n'appartenait à personne. Il semble que des baleiniers américains des côtes atlantique et pacifique pourraient encercler le nord du continent, et certains articles publiés dans des périodiques américains prétendent que la baie d'Hudson ne fait pas partie des eaux territoriales canadiennes mais constitue une mer internationale.

De telles déclarations ne sont pas chose courante, mais la longue controverse au sujet de la frontière de l'Alaska, qui se solde par un échec vers la fin de 1903, accroît l'intérêt du Canada pour le Grand Nord et lui fait prendre davantage conscience de ses droits frontaliers et territoriaux. Au cours de l'été de 1903, le capitaine S.W. Barlett et M. A.P. Low de la Commission géologique du Canada, à bord du *Neptune*, atteignent le cap Herschel sur l'île Ellesmere, proclament la souveraineté du Canada sur ce territoire et déposent leur proclamation dans un cairn construit spécialement à cet effet. Six années plus tard, le capitaine J.-E. Bernier, l'un des plus ardents partisans de l'occupation du Nord, pose une plaque dans l'île Melville pour affirmer la souveraineté du Canada sur tout l'archipel arctique. Ces cérémonies officielles apportent bien sûr une grande satisfaction, mais d'autres faits revêtent une importance plus grande encore; mentionnons l'établissement d'un poste de

la Gendarmerie à cheval du Nord-Ouest à Fullerton Harbour, bien en amont du littoral occidental
de la baie d'Hudson, l'ouverture de Port Burwell à
la pointe nord du Labrador pour les navires qui
pénètrent dans le détroit et la baie d'Hudson, et
l'obligation pour les étrangers d'obtenir un permis
de pêche dans les eaux territoriales du Nord.

Au début des années 1920, le gouvernement
du Canada délaisse la zone orientale de l'Arctique
pour concentrer ses efforts sur la zone occidentale,
région encore en partie inexplorée et où la Commission géologique a beaucoup à faire. Le Canada
souhaite vivement explorer les îles de la mer de
Beaufort, dernière région inconnue de l'Arctique;
aussi, lorsque Vilhjalmur Stefansson sollicite une
aide financière pour son ambitieux projet d'exploration de l'Arctique, le gouvernement accepte aussitôt sa demande. Stefansson, né à Arnes, sur le
lac Winnipeg, de parents islandais, a émigré dans
le Dakota du Nord peu après sa naissance et il a été
élevé et éduqué aux États-Unis. Il a déjà participé
à deux expéditions arctiques financées en grande
partie par des sources américaines. Cette fois,
cependant, le gouvernement du Canada assume
entièrement la direction de l'entreprise.

Cette expédition canadienne, qui débute au
cours de l'hiver de 1913, comprend deux équipes:
celle du Sud, peu connue dans le grand public, et
celle du Nord, fort célèbre grâce aux récits de
Stefansson. La première, composée principalement
de chercheurs de la Commission géologique, s'em-
ploie à étudier et à cartographier l'immense côte
arctique occidentale entre le fleuve Mackenzie et
Bathurst Inlet. La seconde équipe, dirigée par
Stefansson, est chargée d'explorer la mer de Beaufort. Une tragédie marque le début de sa mission;
le navire de Stefansson, le *Karluk*, est emprisonné
dans les glaces, et la plupart des passagers et des
membres de l'équipage périssent. Accompagné de
quelques hommes robustes et expérimentés, son
intrépide chef se rabat alors sur un mode de
transport bien connu dans ces régions, l'attelage
de chiens, et poursuit sa route sur les glaces.
Quatre années plus tard, lorsque la maladie le
force à abandonner son voyage, Stefansson a exploré et cartographié l'immense région polaire qui
s'étend de l'île Banks à l'île Meighen. Le Canada a
bel et bien établi sa souveraineté sur tout l'archipel
arctique.

*Monument à la mémoire de Stefansson, dans sa ville natale,
à Arnes, au Manitoba.*

"ÉG VEIT
HVAÐ ÉG
HEFI REYNT,
OG ÉG VEIT
HVERS VIRÐI
ÞAÐ ER MÉR"

"JE SAIS QUELLES
AVENTURES J'AI VÉCUES,
ET QUELLE PLACE
ELLES TIENNENT DANS MA VIE"

EN 1915, le rappel de l'équipe chargée d'explorer le sud de l'Arctique indique bien que la première grande étape de l'exploration du Nord canadien tire à sa fin. Interrompue par la Première Guerre mondiale, la conquête de l'Arctique reprendra une fois la paix revenue, et ce, à un rythme accéléré grâce aux nouvelles techniques que seule la guerre permet de mettre au point rapidement. Au cours de ces quatre années, la science de l'aviation a fait des pas de géant. On construit maintenant de petits avions solides et pratiques, et des milliers de jeunes Canadiens apprennent le métier dangereux et passionnant de pilote. Voici que débute enfin au Canada l'ère de l'aviation, amorcée il y a plus de dix années par le lancement du premier gros cerf-volant d'Alexander Graham Bell et la création à Baddeck de l'Aerial Experiment Association. Toutefois, ses débuts, quoique prometteurs, sont modestes et incertains. Le public hésite à faire confiance à ce mode de transport dangereux. Les petites compagnies commerciales doivent fournir leurs propres pistes d'atterrissage et les aides à la navigation; exception faite de quelques subventions au courrier aérien, l'administration ne s'efforce guère de promouvoir l'aviation. La ligne aérienne transcanadienne reste encore un lointain projet; les vols interurbains sont peu fréquents et non rentables à moins d'être financés par l'État.

Si, dans le sud du Canada, l'aviation progresse de façon irrégulière et spasmodique, dans le Nord, par contre, elle se développe de façon sûre et constante. Dans l'immédiat, il est plus utile et moins coûteux de survoler le bouclier précambrien ou la vallée du Mackenzie que de transporter entre Toronto et Montréal des passagers qui peuvent tout aussi bien emprunter le train. Les lacs et rivières du Nord sont des pistes d'atterrissage gratuites sur lesquelles les avions peuvent se poser au moyen de flotteurs ou de pontons en été, et de skis en hiver; en outre, les appareils peuvent rendre de multiples services dans l'exploitation des deux grandes ressources du

Monoplans Junker près du hangar de la compagnie pétrolière Impérial, à Peace River, en 1921.

Nord, les forêts et les minéraux. La compagnie pétrolière Impérial achète deux monoplans Junker pour accélérer l'exploration de ses champs pétrolifères près de Fort Norman, dans les Territoires du Nord-Ouest. Pour leur part, les sociétés de pâte et papier du Québec et de l'Ontario commencent à utiliser des avions pour surveiller leurs boisés et combattre les incendies. En 1924, l'Ontario établit l'Ontario Provincial Air Service; organisme important à l'époque, il débute avec seize pilotes et une douzaine d'avions. Dans le Nord, la prospection de métaux de base et de métaux précieux reprend avec vigueur, de même que l'exploitation des gisements connus. La mise en route des mines d'or et de cuivre de Rouyn et Noranda, au Québec, est suivie en 1925 de la découverte d'or à Red Lake, dans le district de Patricia, au nord-ouest de l'Ontario, et, deux années plus tard, débute l'exploitation de Flin Flon, quatre-vingt-dix milles au nord de Le Pas, à la frontière du Manitoba et de la Saskatchewan. Des avions transportent explorateurs et prospecteurs dans les régions septentrionales. Ils assurent aussi

l'acheminement d'approvisionnements, de matériel et de machinerie jusqu'aux concessions déjà jalonnées.

L'aviation commerciale dans le Nord a pris naissance en 1920, et la décennie qui suit voit apparaître une équipe d'hommes remarquables, les Gorman, Fullerton, May, Oaks, Dickins, Stevenson, Thompson et autres, communément appelés «pilotes de brousse». Par leur courage, leur habileté, leur initiative, leur débrouillardise et leur endurance, ils ont mérité une place d'honneur dans l'histoire de l'aviation au Canada. George W. Gorman et Elmer G. Fullerton pilotent deux monoplans Junker lors de leur dangereux voyage au-dessus du Mackenzie jusqu'à Fort Norman. Bravant le froid de janvier, W.R. («Wop») May transporte des antitoxines contre la diphtérie à Fort Vermilion, à cinq cents milles au nord d'Edmonton, dans un avion Avro à cabine ouverte. H.A. («Doc») Oaks et G.A. Thompson inaugurent un service d'approvisionnement et de courrier pour les mineurs de Red Lake. Frederick J. Ste-

George Gorman, pilote de l'un des monoplans Junker de la compagnie pétrolière Impérial.

C.H.«Punch» Dickins, le premier pilote qui traverse la toundra en avion.

venson, un intrépide pionnier du transport de fret de Winnipeg à Churchill, Flin Flon et Sherridon, trouve la mort à Le Pas, dans l'écrasement de son avion. C.H. («Punch») Dickins est le premier pilote à traverser la toundra de Winnipeg au lac Athabasca et, moins d'une année plus tard, il atteint Aklavik sur la côte arctique. C'est un avion de la Western Canada Airways, piloté par W. Leigh Brintnell, qui transporte Gilbert LaBine au Grand Lac de l'Ours, où il découvre de l'uranium.

Certains pilotes de brousse tentent de former leurs propres sociétés. Oaks et Thompson créent la Patricia Airways pour desservir les mines d'or de Red Lake. La petite société de May, la Commercial Airways of Alberta, dessert la région au nord d'Edmonton. Toutes ces entreprises valeureuses méritent de réussir, mais les pilotes-propriétaires découvrent vite que la création d'un service aérien régulier et sûr exige des capitaux beaucoup trop considérables pour leurs moyens. En quelques années, leurs petites compagnies aériennes sont reprises par la Western Canada Airways, grosse société de Winnipeg, qui deviendra ultérieurement la Canadian Airways et sera la première à desservir toutes les provinces et tous les territoires du Canada. De gros investissements sont nécessaires si l'on veut réserver l'espace aérien du Canada aux pilotes et aux appareils du pays; or, les bailleurs de fonds et les gestionnaires dépendent essentiellement, surtout dans les débuts, des connaissances, des talents et de la bravoure des pilotes de brousse. Il est très significatif que les premiers gagnants du trophée McKee, attribué chaque année à la personne qui a le plus contribué à l'avancement de l'aviation canadienne, soient trois pilotes de brousse, Oaks, Dickins et May.

En quelques années, l'avion a énormément accéléré et facilité l'exploitation du Grand Nord et de l'Arctique, mais il est loin d'assumer seul les transports et les communications. Il complète le chemin de fer, sans le remplacer entièrement; de bonnes routes sont bientôt ouvertes; enfin, les tra-

Frederick Stevenson, pionnier du transport des marchandises dans le nord du Manitoba.

G.A. Thompson, dans sa tenue de vol.
W.R. «Wop» May, as de l'aviation au cours de la Première Guerre mondiale.

ditionnels vapeurs disparaissent peu à peu de certaines rivières, mais les navires demeurent essentiels. Seul un navire peut réaliser la plus ancienne ambition qu'ont nourrie nombre de grands explorateurs de l'Amérique du Nord, la découverte d'un passage vers l'est en contournant le littoral nord du continent. En 1910-1911, le capitaine J.-E. Bernier a essayé sans succès de trouver cette voie; finalement, ce n'est pas un Canadien, mais un Norvégien, le capitaine Roald Amundsen, qui réussit le premier là où tant d'autres ont échoué.

Le vif intérêt que suscite l'exploration de l'Arctique avant la Première Guerre mondiale diminue à la fin du conflit. L'espoir de trouver un passage dans les eaux territoriales canadiennes est abandonné jusqu'au moment où la Deuxième Guerre mondiale donne un nouvel élan au sentiment nationaliste des Canadiens. Le *St. Roch*, un schooner construit à Vancouver pour l'approvisionnement des postes arctiques de la Gendarmerie royale du Canada, reçoit la mission de faire flotter

Le schooner St. Roch, *de la G.R.C., navigue dans les glaces près de l'île Herschel, dans l'Arctique occidental.*

le drapeau canadien d'ouest en est. C'est un robuste petit vaisseau de 104 pieds de longueur et vingt-cinq pieds de largeur, jaugeant 80 tonneaux; il est construit en bois de sapin de Douglas et revêtu de gommier, bois australien particulièrement résistant. Son capitaine est le surintendant Henry Asbjorn Larsen, un Norvégien qui a servi dans la marine de son pays et possède déjà une certaine expérience de la navigation dans les eaux arctiques. Émigré au Canada, Larsen a pris la citoyenneté canadienne et s'est engagé dans la Gendarmerie royale du Canada.

Le capitaine et son navire sont tous deux des vétérans du Grand Nord, mais le long et périlleux voyage vers l'est met leur endurance à dure épreuve. Le *St. Roch* part de Vancouver le 23 juin 1940. Tout l'hiver suivant, il est emprisonné par les glaces à la baie Walker, sur la côte nord-ouest de l'île Victoria. Il se libère enfin en juillet 1941, mais pour être arrêté à nouveau par les glaces pendant près d'une autre année à la baie Pasley sur la côte ouest de la péninsule Boothia. Le passage du dangereux détroit de Bellot, à l'été de 1942, est la dernière grande épreuve du *St. Roch*, qui arrive à Halifax le 11 octobre 1942. Il a mis plus de deux ans et trois mois pour effectuer ce périple, presque autant que le *Gjoa* d'Amundsen. Par comparaison, le voyage de retour, qui s'effectue plus au nord par les détroits de Lancaster et du Vicomte-Melville, est étonnamment rapide. Parti de Halifax le 22 juillet 1944, le *St. Roch* atteint Vancouver le 16 octobre. Quatre-vingt-six jours, c'est-à-dire moins de trois mois, ont suffi pour ramener le navire à son port d'attache; il devient ainsi le premier bateau à emprunter le passage du Nord-Ouest dans les deux sens. L'objectif du Canada était d'établir sa souveraineté sur l'archipel arctique, et celui des anciens explorateurs, de trouver le passage du Nord-Ouest. Ces deux rêves sont devenus des réalités.

Index

Table des matières

Illustrations

L'auteur remercie les sources suivantes, qui lui ont fourni des illustrations ou lui ont permis de les utiliser:

Archives de l'Ontario, Toronto (Ont.) / 126, 134-5, 138, 139, 213

Archives provinciales, Victoria (C.B.) / 12 (en haut), 15, 70-1, 80, 84, 86-7, 88, 90-1, 118-19

Archives publiques du Canada, Ottawa / 11, 12 (en bas), 16-17, 26, 30, 34, 40-1, 43, 44, 46-7, 49, 51 (en bas), 55, 57, 63 (en haut), 74-5, 79, 81, 82-3, 94-5, 99, 103, 106-7, 109, 111, 114-15, 124-5, 147, 150-1, 152-3, 159, 165 (en bas), 168-9, 172-3, 175 (en haut), 176, 177, 178, 182-3, 184, 187, 192, 195, 198-9, 202, 210-11, 218-19, 220, 221, 222-3, 231, 232, 233, 234-5, 238, 239, 242-3, 250

Direction des parcs nationaux et des lieux historiques, Parcs Canada, Ottawa / 20-1, 23, 24-5, 28-9, 33, 35, 36, 48, 50, 51 (en haut), 52-3, 54, 56, 58, 59, 60, 61, 63 (en bas), 64-5, 77, 84-5, 92-3, 96-7, 98, 100-1, 104-5, 108, 112-3, 116-7, 120-1, 122, 129, 131, 132-3, 137, 140-1, 142, 144-5, 148, 149, 156, 157, 163, 165 (en haut), 180-1, 185, 188, 189, 193, 196-7, 200, 201, 204-5, 207, 208-9, 212, 214, 216, 217, 224, 228-9, 236-7, 245

Division de l'aviation et de l'espace, Musée national des sciences et de la technologie, Ottawa / 226-7, 246-7, 248-9

Gendarmerie royale du Canada, Ottawa / 154, 155, 160, 162, 164

Keith Branscombe, Toronto / 128

Metropolitan Toronto Library Board / 73, 127, 130

Saskatchewan Archives Board, Regina (Sask.) / 110

The Glenbow-Alberta Institute, Calgary (Alberta) / 18, 78, 166, 167, 171, 174, 175 (en bas)

The New Brunswick Museum, Saint-Jean (N.-B.) / 32

La carte des pages 8 et 9 a été dessinée par Jim McLachlan.

On peut obtenir plus d'information sur les parcs nationaux et les lieux historiques du Canada en communiquant avec:

Parcs Canada — Région atlantique
Historic Properties
Upper Water Street
Halifax, Nouvelle-Écosse
B3J 1S9

Parcs Canada — Région du Québec
1141, route de l'Église
Sainte-Foy, Québec
GIV 4H5

Parcs Canada — Région de l'Ontario
C.P. 1359
Cornwall, Ontario
K6H 5V4

Parcs Canada — Région des Prairies
114, Garry Street
Winnipeg, Manitoba
R3C 1G1

Parcs Canada — Région de l'Ouest
131, Customs Building
11th Avenue and 1st Street S.E.
Calgary, Alberta
T2G 0X5

Ce livre a paru en anglais sous le titre: Canada: The Heroic Beginnings, *Macmillan of Canada / Toronto, en collaboration avec Parcs Canada, Affaires indiennes et du Nord, 1974.*